# LA NAVIGATION

# ATMOSPHÉRIQUE

Paris. — Imp. de la Librairie Nouvelle, A. Bourdillia', 15, rue B c.l.

# INTRODUCTION

Entrons en connaissance, ami lecteur, en causant de
ce sujet qui vous intéresse, je suppose, ou vous intéres-
sera, je l'espère.

Remontons d'abord au plus haut, en ce qui concerne
mes travaux aérostatiques. Un de mes oncles, officier
supérieur du génie [1], s'occupa de la direction des aérostats. Il adopta, en principe, la forme ovale, pour son
navire; puis, au moyen de voiles ouvertes et fermées, il
chercha une manœuvre qui pût amener la direction.

---

[1]. Tartarat de Chasmellons, artiste peintre, lieutenant-colonel re-
traité, chevalier de la Légion d'honneur, de Saint-Louis et de la
Croix de fer.

Ce fut lui qui eut soin de ma jeunesse; il me donna quelques notions de dessin mécanique, puis me plaça, fort jeune encore, chez un excellent mécanicien, à qui j'ai la reconnaissance d'avoir été initié consciencieusement à la pratique et aux connaissances de l'art, qui résident nécessairement au fond de tout métier. Ne devant rien attendre que de mon travail, je dus assurer par lui mon pain quotidien, avant de toucher au grand œuvre : l'aérostation étant aussi un culte qui ne nourrit pas ses prêtres.

Ce ne fut que vers l'année 1850, à peu près, que repassant les mémoires que m'avait légués M. *Tartarat*, je m'occupai sérieusement de la locomotion aérienne ; j'en fis, depuis le but constant de mon existence, et elle devint bientôt mon cheval de bataille. Je recherchai activement ce qui avait été fait, dit et écrit antérieurement ; et souvent, je l'avoue, je fus étonné de trouver dans ces divers ouvrages les moyens que je croyais avoir découverts moi-même.

Presque tout ce qui est bon, faisable ou applicable à

été imaginé; mais tout cela cependant, encore obscur, dépareillé, dispersé; beaucoup de personnes, même, se sont contentées de donner des indications probables. Pourtant, aidé dans mes recherches par celles de tous ces travailleurs intelligents, j'ai composé, sur mes principes, le navire aérien dont nous allons donner les détails. Lorsque mes idées se sont croisées, ou ont été devancées par d'autres, j'ai mis tout amour-propre de primauté de côté, et j'ai signalé leurs noms et leurs travaux. Souvent l'idée n'était qu'ébauchée et incomplète; mais enfin, c'était l'idée mère et l'on peut dire qu'il en est à peu près des sciences comme des révolutions, elles sont préparées longtemps à l'avance; elles éclosent ensuite, et ce n'est pas toujours ceux qui les ont conçues et méditées qui les exécutent et en profitent.

*Denis Papin* découvrit la force prodigieuse de la vapeur et pressentit tout le parti que l'on pourrait en tirer: mais ce fut plus tard que *Fulton* construisit les premières machines, et les appliqua à la navigation. *Franklin* imagina le paratonnerre et n'en fit point le premier l'expérience: *Lavoisier*, *Berthollet* et autres savants, dissertèrent sur la densité des fluid s; ils découvrirent le gaz hydrogène et cependant ce n'est qu'après eux que *Montgolfier*, puis *Charles* et *Robert* eurent la gloire de lancer les premiers globes aérostatiques dans les airs.

Sans doute, il en sera de même de la navigation aérienne, dès longtemps préparée et mûrie. Le moment est venu où il nous est donné de cueillir ces fruits, éclos par les soins et la sollicitude de tant de glorieux travailleurs. C'est ce que nous ferons en donnant à chacun sa part de gloire, ce qu'il en restera étant encore assez considérable pour ceux qui établiront la pratique et feront triompher cette belle cause, restée en retard pour je ne sais quel motif.

Au milieu de mes recherches, je me demandai souvent en voyant la profusion de tout ce qui a été fait, dit ou indiqué à cet égard, pourquoi, ayant toutes les connaissances nécessaires, ce qui est incontestable, et tous les matériaux en main, ce qui ne l'est pas moins, on ne construisait pas ce navire enchanté qui doit donner aux nations civilisées l'empire du monde, et assurer le triomphe du progrès et de l'humanité sur la barbarie alors vaincue et rampante.

Comment se fait-il, me disais-je, que l'homme né inquiet, entreprenant, jaloux de sa supériorité; lui qui veut tout connaître et tout dominer, comment se fait-il qu'il n'ait pas tenté de plus grands efforts pour conquérir le seul élément qui lui soit resté rebelle, surtout ayant constamment sous les yeux l'exemple et la leçon donnés par les oiseaux, les insectes mêmes les plus infimes? L'homme qui, sans ouvrir la bouche, reproduit sa pensée des milliers de fois, qui communique par l'éclair factice à des distances inouïes; lui qui dépasse la vitesse de tous les animaux; lui, enfin, dont on ne peut mesurer les forces mécaniques et puissantes dont il dispose, qui traverse les mers comme ne l'a jamais fait sans doute le poisson le plus intelligent, il se laisserait distancer dans l'air par un moucheron? — Allons donc, me disais-je, génie humain; tu es en retard en aérostation! Éveille-toi et franchis d'un bond ce fossé si étroit qui te dérobe ton triomphe; marche, l'avenir le demande et le génie présent te dit que tu le peux; obéis à ses vo-

1.

lontés intelligentes, car le moment est venu d'aplanir les obstacles. Les chemins tortus deviendront droits, ceux qui sont raboteux seront aplanis; pour toi, plus de distances, plus de montagnes, plus de vallées, — droit au but! La flèche et le vol d'oiseau, voilà tes moyens de locomotion; un effort, et l'avenir t'appartient!

C'est plein de ces idées que je travaillai avec ardeur à la réalisation de ce que, à tort, selon moi, on est convenu d'appeler un problème. Ma position de mécanicien me servit merveilleusement dans cette tâche laborieuse; privé d'une éducation supérieure, je dus m'en rapporter au gros bon sens de la pratique, à l'étude et à la méditation de mes sujets, puis à une espèce de sentiment divinatoire et d'inspiration heureuse; enfin, pour rendre l'idée de mes travaux sensible et saisissable, et l'asseoir sur des bases solides, je fis en petit l'exécution de chaque point principe, et l'essayai.

C'est ainsi que j'obtins les meilleurs agents de direction et de propulsion. J'adoptai ceux qui me donnèrent les meilleurs résultats, éloignant les autres sans parti pris d'avance, et partout je mis, par ces constructions, un fait palpable, matériel et incontestable à la place où s'élevait un doute, une équivoque.

Ce travail me mit dans la bonne voie. Je vis les forces nécessaires et les formes convenables à donner au navire; je trouvai le moyen d'appliquer avec le plus d'avantage possible les engins de navigation et de propulsion, ainsi que l'agencement général et rationnel du tout; je vis dans ces nombreux essais pourquoi d'autres avaient échoué, ce qui me serait arrivé indubitablement à moi-même si je n'eusse pris l'objet du bon côté, en faisant toutes ces expériences préliminaires au moyen de petits modèles fonctionnant alors à l'aide d'un ressort, de rouages et d'effets mécaniques.

Lorsque mes travaux d'expérimentation furent terminés, ainsi que mes calculs à l'appui; faits et preuves en main, j'écrivis bravement pour que l'on vînt juger mes travaux, je sollicitai où j'espérai trouver appui, aide et protection; hélas! absence de tous côtés. Je fus confondu parmi les importuns et aucune porte ne s'ouvrit pour

me recevoir; je fus recueilli dans ce naufrage par
*M. Dupuis-Delcourt* , brave soldat du progrès aérostatique [1], brisé à la fatigue et courbé à la tâche; chercheur
infatigable, plein de courage et d'abnégation, oubliant
la faim pour la science; un homme, enfin, auquel la pos-
térité, peut-être, rendra des honneurs et pour lequel le
présent est souvent, trop souvent même, bien dur et
bien avare; ce fut lui qui compléta mon éducation aérostatique, car il est le professeur émérite en cette science.
Archiviste, compilateur, bibliophile, chez lui se trouve
l'histoire complète de l'aérostation.

Tout ce qui a été fait ou essayé dans tous les pays du
monde, s'y trouve classé avec les notes explicatives et
descriptives à l'appui.

Il eut la bonté de me faire partager cette riche col-
lection de savoir, acquise au prix de tant de veilles et
de travaux. Pour lui, comme pour moi, la navigation

---

1. Doyen des aéronautes français, secrétaire perpétuel et fondateur
de la Société aérostatique et météorologique.

aérienne n'est plus qu'une question d'argent et surtout
d'initiative ; la question scientifique étant résolue sur
tous les points.

En voyant les travaux de mes collaborateurs, ces
monuments dispersés et désunis, ces efforts infruc-
tueux, faute d'ensemble ou d'appui, je sentis que je
n'avais pas le droit de rester découragé, moi qui entrais
à peine en lice. Je redoublai donc d'ardeur au travail
intelligent et manuel, pour arriver à convaincre les in-
crédules, donner la lumière aux aveugles et pouvoir
défier enfin les écrevisses de la science. Si j'en avais
eu les moyens, j'aurais construit une chaloupe en at-
tendant le navire ; mais ne pouvant le faire, je ré-
solus d'écrire cet opuscule afin de faire partager ma
conviction et mes travaux ; révéler aussi ceux de mes
confrères, et familiariser le public avec l'apparition
prochaine de cette navigation sublime : comme saint
Jean, je ne suis que la voix qui crie, — dans le désert
peut-être : — Préparez-vous, car l'heure approche où
vous verrez apparaître ce nouveau Messie de l'union
des peuples !

Je désire surtout faire naître chez le lecteur l'envie de s'instruire dans cette science aérostatique trop délaissée, et trop souvent mal comprise ; c'est un grain de blé que je sème : il produira, j'en suis sûr : qui en fera la moisson ? Mais, comme dit un vieil adage campagnard, « qui ne plante que pour soi n'est pas digne de vivre. » J'attends donc tout du temps : seul, il amène chaque chose à point ; et ma conviction, née d'études et de sentiment, m'est garant que, un peu plus tôt un peu plus tard, *le triomphe est certain* ; car dès à présent les bases sont posées — et la réalisation n'attend qu'un homme.

# CHAPITRE Ier

Préliminaires et essais concluants sur le point d'appui aérien.

---

Avant de commencer la description de notre navire, nous allons, ami, causer des divers essais que j'ai tentés pour assurer son édification certaine et parfaite; puis enfin, pour vous instruire si vous êtes novice en cette science, afin que nous puissions en raisonner tous deux également.

Si j'étais né marin, il est probable que je me serais occupé de trouver la direction aérienne au moyen du plan incliné, ou voile horizontale, dont le cerf volant peut donner un aperçu; c'est ainsi que l'ont imaginé plusieurs chercheurs intrépides. Dans cette navigation, on procède par montées et par descentes, en inclinant successivement l'avant de la voile en haut, puis en bas, en louvoyant dans ce qu'on peut appeler l'océan aérien, profitant surtout des vents favorables qui se trouvent dans l'atmosphère à certaines hauteurs, et l'on peut assurer d'après une expérience de *Franklin* qu'il y en a toujours, par cette raison que l'air raréfié par le soleil du midi va prendre la place laissée libre par l'air froid et lourd du nord, qui arrive dans les régions inférieures pour le remplacer. Du reste, la différence de température sous chaque climat, les inégalités du globe terrestre, les équinoxes, donnent à l'air divers courants et forment dans l'atmosphère de larges vents alisés, dont on peut profiter avantageusement, ainsi que des couches calmes qui se trouvent intercalées entre eux. Cette manière de naviguer est applicable et sera appliquée, à l'aide de ce qu'on appellera dans notre marine, les navires aériens à voiles.

Étant mécanicien, mes idées se sont tournées tout naturellement vers des procédés mécaniques plus avancés, plus rapides; en un mot, plus vigoureux et plus sûrs. Il ne restait que le choix entre ces moyens moteurs et propulseurs, ou plutôt il restait à discerner les meilleurs dans la foule de

ceux qui se présentent toujours à l'imagination de tout chercheur. Il n'est pas difficile d'inventer, c'est mon opinion ;
mais il est souvent difficile de bien choisir : là est le tact.

Quel sera donc celui de ces agents propulseurs auquel
nous donnerons la préférence? Sera-ce le moyen des roues
à clapet, qui laisseront passer l'air en allant à l'avant, puis se
formeront en volets de persiennes au retour, pour s'en em-
parer et s'y appuyer comme le fait l'aile d'un oiseau, dont
chaque plume, et chaque barbe de cette même plume, rem-
plissent le rôle d'une infinité de petits parachutes cédant,
lorsqu'ils montent, se développant lorsque l'aile s'abat pour
prendre son point d'appui? — Sera-ce le moyen des roues à
aubes, dont les pales présentent à plat leur surface déployée
dans le demi-cercle où l'on veut obtenir la direction, et s'in-
clinent de côté dans l'autre portion de leur course où leur
effet reste toujours nuisible? Sera-ce le moyen des roues
à éventails, s'ouvrant et se fermant? Celui-ci se présente
également à l'imagination avec une foule d'autres déjà pro-
posés, et sur lesquels je ne me prononcerai pas, mais que
j'ai successivement écartés, parce que, homme pratique, j'ai
trop bien compris la perte de force occasionnée par les
frottements inséparables de leurs fonctions.

2

Ayant passé sévèrement et consciencieusement ma revue des moyens propulseurs, j'arrivai au moyen privilégié par excellence : l'hélice, un petit morceau rogné à la vis d'Archimède. Hélice.... Ce mot est court; mais sur ses applications, sur ses différentes formes, et surtout sur les perfectionnements dont elle est susceptible pour les divers milieux où on la destine à agir, il y aurait un volume entier à écrire.

Beaucoup de personnes auront remarqué, sans doute, que, sur deux bâtiments à vapeur, d'égales dimensions, la machine qui fait fonctionner celui à hélice, est de beaucoup plus petite et plus faible que celle du bâtiment à aubes; et, cependant (si l'hélice est bien comprise), le résultat en vitesse est le même.

Par cette raison qu'une machine petite et légère suffit à l'emploi de l'hélice, elle est donc ce qui convient le mieux en aérostation; ensuite, parce que son effet et sa puissance d'action sont démontrés et éprouvés dans l'eau, où, comme dans l'air, elle est plongée entièrement dans le fluide où elle agit sans perte de force, ni frottements, et sans interruption dans son travail. Elle représente un point d'appui continu, doux et élastique : il n'y a donc point à discuter sur sa puissance, son excellence, comme propulseur aérien; *Sauvage*, lui-même, son inventeur, laisse entrevoir son application aux fins auxquelles nous l'avons destinée. Seulement, il est arrivé à ceux qui l'ont proposée depuis, pour la locomotion aérienne, de tomber dans la même erreur que moi, avant mes premiers essais : c'est de la faire beaucoup trop petite, trop fournie d'ailes; sans tenir compte que l'air est huit cents fois moins dense que l'eau, et que, si par cette raison, le navire aérien est beaucoup plus léger à faire mouvoir, il n'en faut pas moins agir avec des surfaces beaucoup plus grandes, puisque nous sommes plongés tout entiers dans le fluide où nous devons trouver notre point d'appui. L'air étant élastique, il faut aussi le saisir par des engins élastiques, et remplacer par la quantité de molécules englobées leur moins de résistance permanente; et arriver ainsi à trouver le même compte.

Regardons l'oiseau, lui qui non-seulement propulse, ce qui lui coûte peu, mais se soutient en l'air, en nous donnant ainsi une preuve palpable et saisissante de ce point d'appui aérien quelquefois contesté; et n'essayons pas après cela de faire voler nos poissons équilibrés de gaz, sans allonger assez leurs nageoires, afin qu'elles représentent et remplacent des ailes; car, nous l'avons dit, l'hélice est une aile propulsive constante; il ne s'agit que de bien la comprendre pour bien l'appliquer et en tirer ce que l'on veut en obtenir. Nous y reviendrons dans le chapitre de l'exécution, pour établir avec précision tous ses détails de construction.

Ceci adopté et pour éprouver en petit sa puissance [1], je montai un rouage composé d'un barillet garni de son ressort. Ce barillet, fendu à quatre-vingt-seize dents, engrène un pignon de dix ailes; sur ce pignon est montée la première roue fendue à soixante dents, qui elle-même engrène définitivement un pignon de huit ailes. Ce pignon a une longue tige taraudée, sur le bout de laquelle vient se visser le centre de la petite hélice d'essai, fait de deux pales flexibles et légères comme les deux ailes d'un oiseau. Le propulseur ainsi monté sur son moteur, j'y ajoutai ce que l'on pourrait appeler son résisteur, c'est-à-dire une enveloppe représentant la place

---

1. M. Jullien, de Villejuif, l'essaya, en grand, par ce moyen. Il se plaça sur une poutre transversale faisant pivot à son centre, son poids étant équilibré à l'autre extrémité. En tournant une paire d'hélices placée à côté de lui, il se transporta rapidement, et circulairement au grand étonnement des spectateurs, qui ne pouvaient supposer la réussite d'un tel moyen inconnu pour eux.

occupée par le gaz destiné à maintenir l'appareil en équilibre dans l'air. Je donnai à cette enveloppe la forme d'un
ovale très-allongé ; l'hélice étant placée à l'avant, et le
gouvernail à l'arrière, bien entendu ; ce gouvernail plus
grand, et fonctionnant à charnière comme celui d'un navire,
je l'incline à angle obtus avec l'enveloppe et sa machine
avant de commencer l'expérience ; et lorsque le tout est en
marche, chaque tour de barillet le redresse peu à peu et
l'amène graduellement au moment où défile le ressort, à
tenir une position droite.

Pour compléter cet instrument d'essai, une détente tient
le ressort armé ; à cette détente est fixé un fil de soie terminé par une petite boule qui pend sous l'appareil, et que
je n'ai qu'à tirer pour que le tout se mette en marche.

Comme dans des proportions aussi petites, il n'est pas possible de soutenir, sans désavantage, l'appareil par le gaz
(nous le démontrerons à ce chapitre), j'attache au plafond un
ruban garni d'un crochet, et à son extrémité le tout est
librement suspendu. Notons que cela est un obstacle à la
marche ; mais comme il faut y passer, l'effet n'en est que
plus concluant.

2.

Voilà donc notre petit navire d'essai monté, placé, prêt à fonctionner, il n'y a plus qu'à tirer le fil de la détente qui retient le ressort armé, et il va fonctionner. Avant, voyons dans quelles conditions respectives tout cela se trouve réuni, afin de comparer cette expérience avec ce que nous établirons en grand, et pouvoir ainsi en déduire des conséquences sérieuses.

Je construisis ce modèle à une échelle de un centimètre pour mètre, proportion pouvant servir de guide à une chaloupe avec la force nécessaire pour transporter quelques hommes seulement ; il fallait que l'enveloppe pût cuber environ cinq cents mètres, afin de soutenir le mécanicien, la machine, et son aide ou amateur. Un mètre de gaz hydrogène pur, ayant une force d'ascension de un kilog. trente-cinq grammes environ, il restera, dans l'enveloppe au départ, le vide nécessaire pour l'extension du gaz qui se développe à mesure que l'on gravit dans l'atmosphère.

Voici comment je procédai. Pour obtenir une capacité comparative sur mon échelle de proportion, je pris une motte de terre glaise, que je moulai au cube de cinq cents centimètres pour représenter mes cinq cents mètres à l'exé-

cution. Ceci calibré, je l'allongeai et lui donnai la forme nécessaire à la propulsion dans l'air ; sur cela, je moulai une calotte
de carton qui représentait exactement ainsi le volume d'air
déplacé par mon gaz. Cette calotte, placée sur mon appareil, représente donc la résistance ; quant à la force que possède mon hélice, pour la vaincre, voici comment je la pe-
sai : à un demi-centimètre du centre de l'hélice, j'adaptai
le plateau d'une balance sur un petit levier ; je le chargeai,
et à cinquante grammes, tout compris, poids et balance,
elle n'avait plus la force de la remonter, le ressort étant
cependant armé en haut. Ce n'est donc pas la force de cinquante grammes qu'il avait. Mais, je l'admets ; donc, pour obtenir en grand cent fois cette force, il faut la multiplier deux
fois par le carré, ce qui donne cinquante kilog. de force à la
machine pour marcher, non comme le petit modèle, mais
beaucoup mieux, puisque la force d'un cheval-vapeur est estimée à soixante-quinze kilog. élevés à un mètre en une seconde ; et cette machine est pour nous un jouet d'enfant.

Revenons à notre petit appareil que nous avons laissé
pour donner ces détails bien essentiels, puisqu'ils doivent
servir de points de comparaison.

Attention ! Vous voyez le petit modèle suspendu à son ruban ; il est tout armé ; je tire le bouton de la détente, et au même instant tout se met en marche. L'hélice tourne, et comme mon gouvernail est incliné à un angle obtus, il opère son premier cercle en petit, c'est presqu'un tour sur lui-même ; mais, le gouvernail se redressant à chaque tour, le cercle s'agrandit, et il arrive ainsi à parcourir cinq mètres par seconde en décrivant un cercle de trois mètres environ, suivant la longueur de son ruban de suspension.

Voilà, j'espère, un résultat bien pesé ; étudié avec tous les soins minutieux d'un horloger. Ces études ami, lecteur, sont peut-être arides pour vous, mais elles sont nécessaires pour appuyer ce que nous allons dire ; c'est une base, un fait palpable et matériel, un point principe d'où l'on peut partir pour déduire la possibilité, la facilité même de se diriger et de naviguer dans l'air. Pour cela, il ne reste plus qu'à en méditer l'exécution, appliquer les bons moyens connus et en créer de nouveaux à son usage.

Les nouvelles inventions agrandissent les horizons de la science ; elles donnent souvent un démenti à ceux qui veulent marquer une limite à la conception du génie humain.

De cette idée doivent partir de nouvelles théories et de nouveaux calculs ; car les anciens se trouvent faux, n'ayant pu
prévoir la naissance de cet enfant de la science, qui vient
aussi leur réclamer sa part de soleil.

Que l'on veuille bien s'arrêter où fut mon point de départ,
pour comparer cette première expérience, espèce de jouet à
ressort, aux locomotives parcourant au besoin cent cinquante
kilomètres à l'heure, eu égard à ces mêmes jouets imitatifs
qui vont fort peu de temps avec leurs ressorts, et font peu de
chemin avec leurs petites roues qu'ils agitent très-vite ; et
l'on se demandera alors quelle serait la rapidité du navire
aérien construit de grandeur naturelle, et fonctionnant par
la force des légères et puissantes machines dont nous consi-
gnerons les détails à leur chapitre. Nous ne déduisons donc
qu'une chose de cette première expérience, c'est que l'hélice,
le propulseur de *Sauvage*, est excellent pour naviguer dans
l'océan de l'atmosphère ; ensuite, qu'une force médiocre est
suffisante pour le faire agir. Je n'ai donc point la prétention
d'avoir rien inventé jusqu'alors ; d'ailleurs, on n'invente pas
les perles ni les diamants : on les taille et on les monte pour
leur donner une place digne de leur valeur.

C'est ce que je me suis efforcé de faire, en travaillant, de toute ma force et de tout mon courage, à cet héritage scientifique, qui appartient à quiconque veut se donner la peine de le cultiver.

Or donc, ami, je ne suis pas arrivé à de bons résultats du premier coup ni d'une seule enjambée ; j'ai tâtonné, cherché, médité, assemblé et trouvé enfin ; j'ai travaillé avec patience, avec persévérance surtout. Nous parlerons séparément de chaque chose bonne et utile à notre cause, de chaque essai favorable et que j'ai eu le soin d'amener au positif. Des faits, voilà mes armes pour combattre le doute et l'obscur. On perd du temps à les établir ; mais on n'en perd pas à les discuter et c'est beaucoup ; surtout en cette matière où les principes ne sont pas bien posés encore. Après avoir exposé clairement et séparément chaque pierre du monument taillée avec ses formes diverses et caractérisées, nous assemblerons le tout et vous verrez l'édifice.

Chacun alors sera juge, défenseur ou simple témoin de l'exécution. C'est alors que les savants, ceux mêmes qui ont douté de l'avenir, viendront constater et établir nos succès ; ils asseoiront notre œuvre, et lui trouveront des bases et des raisons d'être toutes simples, car, comme le dit *M. Julien Turgan* dans son excellente histoire de l'aérostation, la science ne combine et ne compare que les forces et les choses connues; ses calculs ne peuvent aller au delà, non plus que ses comparaisons et ses combinaisons. Le génie et le hasard découvrent des choses et des forces nouvelles; la science voit ce qui est actuellement possible; — le génie et le hasard étendent la limite du possible et créent, pour ainsi dire, des possibilités nouvelles.

Ici, le possible nouveau est découvert, c'est la suspension dans l'air par le gaz hydrogène, avantage immense que l'homme possède sur les oiseaux; c'est une garantie de sécurité et d'existence dans l'air; il ne reste plus qu'à enfermer ce gaz dans une enveloppe taillée pour la propulsion et à lui appliquer l'engin propulseur. Tout cela est vraiment si simple que ce serait désespérant, si nous n'avions des exemples de choses aussi grandes, plus simples encore, et qui, cependant, ont été des siècles sans être ni comprises ni utilisées.

# CHAPITRE II

Conditions du Navire aérien dans l'atmosphère

Après nous être entretenus d'essais mécaniques, causons maintenant, ami, des effets physiques : étudions la nature et levons les yeux vers cet immense océan de l'air, après les avoir tenus abaissés sur les travaux matériels de notre globe.

Prenez un poids quelconque et traînez-le par terre en mesurant à peu près l'effort qu'il vous faut pour cela ; montez-le ensuite sur des roues, et il sera incontestablement plus léger à faire mouvoir ; puis si vous le placez dans l'eau en l'équilibrant d'un volume d'air en rapport avec lui pour

5

qu'il surnage, comme une pirogue, par exemple, il sera encore plus doux à faire mouvoir ; puis, en dernier ressort, au lieu de l'équilibrer dans l'eau par l'air, vous l'équilibrez dans l'air par le gaz (toujours enfermé dans une enveloppe qui sera maintenant une pirogue renversée) : c'est alors que vous aurez obtenu le *nec plus ultra* de douceur à le véhiculer. La moindre chose, un soufle, une plume, le dérangera de place, l'air étant plus fluide que l'eau, qui est déjà beaucoup plus douce que le frottement mécanique sur un corps dur. Or un aérostat équilibre par son gaz, dans l'air, un poids de vingt mille kilogrammes, par exemple, comme le navire équilibre le même poids dans l'eau par l'air qu'il contient. Dans l'un comme dans l'autre cas, le poids est suspendu d'en haut par un effet physique : la différence de densité des fluides ; la même puissance qui fait qu'un boulet de canon nage sur le mercure, un navire sur l'eau, un aérostat dans l'air !

On a dit qu'un aérostat dans l'air n'aurait ni résistance, ni force acquise, parce qu'étant en équilibre, il n'a pas de poids. — Erreur, car alors le navire n'en a pas non plus et n'obtient pas de force acquise dans sa marche, puisqu'ils se trouvent tous deux dans des conditions identiques, également suspendus et équilibrés d'en haut, l'un par l'air, l'au-

tre par le gaz. Le volume du gaz, dit-on encore, est un obstacle à la propulsion ? Oui, si vous voulez que la cuve
remonte le courant du fleuve ; mais, au lieu de cela, taillez
votre enveloppe en brochet, ou en coque de navire et vous
remonterez aisément. Le gaz, il est vrai, déplace plus d'air
dans l'aérostat que l'air ne déplace d'eau dans le navire, pour
équilibrer le même poids ; mais comme le navire aérien agit
dans un milieu beaucoup moins dense, plus divisible en un
mot, ils sont tous deux dans des conditions relatives et identiques.

L'aérostat dans l'air est assez bien représenté par le plateau d'une balance en équilibre ; c'est du reste, son état normal d'être dans l'air et la moindre force, nous l'avons dit, le
déplace et le fait mouvoir. Supposez donc un aérostat ainsi
en équilibre dans l'air et qu'on déleste instantanément de
cinquante kilogrammes, par exemple ; avec quelle rapidité il
monte ! rapidité que l'on peut comparer à celle d'une flèche,
et qui serait augmentée, si sa forme au lieu d'être sphérique
était allongée en olive. Or l'air n'offre pas plus de résistance
à vaincre horizontalement que verticalement, plutôt moins
même, à la rigueur. Eh bien ! si ce délestage de cinquante kilogrammes, qui lui donne une telle rapidité, est remplacé

par une machine savamment combinée, qui communique à
l'aérostat, restant équilibré, ces cinquante kilogrammes en
traction, en propulsion, si l'on veut; l'effet, de vertical qu'il
était, deviendra horizontal. La vitesse sera la même, et il
n'y a pas de raison pour qu'il en soit autrement.

Ceci posé, que faut-il pour obtenir cette traction de cinquante kilogrammes? Moins que la force d'un cheval vapeur; et qu'est-ce que cette force à obtenir dans les conditions où elle nous est nécessaire, et par les moyens
mécaniques perfectionnés mis aujourd'hui à notre portée?
— Rien ou presque rien; et nous le démontrerons au chapitre du moteur.

Nous sommes donc en mesure de vaincre la résistance de
l'air, dont on a fait un fantôme. Il ne s'agit que de com-
biner utilement ces propulseurs aériens auxquels on n'est
pas habitué, et dont on ignore la puissance par cette raison
qu'on n'en a pas eu besoin jusqu'à ce jour. Abordez les dif-
ficultés et elles seront à moitié vaincues ; surtout celles de
cette nature, avec lesquelles on ne s'est jamais mesuré. Que
l'on s'approche, et l'obstacle n'est souvent qu'un brouillard
inconnu. C'est ce que j'ai observé maintes fois en pous-

sant ma pointe pour reconnaître ces prétendus ennemis.

Mais les vents, dira-t-on? Autres croquemitaines, que je vous assure être les garçons les plus inoffensifs et les plus complaisants pour nous; les vents, mais ce sont nos amis en aérostation; lorsque nous leur aurons rendu à domicile quelques petites visites d'amitié pour bien les connaître, ils nous aideront de toute leur force; nous transporteront avec une vitesse fabuleuse, et cela gratis.... la peine d'aller les chercher chez eux, à la hauteur où ils se trouvent. Est-ce que le navire marin craint les vents? Bien au contraire, ce sont souvent les seuls et les plus puissants de ses auxiliaires et, cependant, il n'a pas comme nous l'avantage de s'élever dans leur sein, d'aller les choisir là où ils se trouvent. Les vents! mais nous serons leurs maîtres en aérostation; nous en disposerons à notre gré, nous les tiendrons enchaînés à notre char puissant, nous briserons leur fougue à notre caprice.

Malgré les désavantages du navire marin, hésite-t-on à s'embarquer? Non. On ne tient pas même compte de ces désavantages, que nous n'aurons pas. La routine et l'habitude, cette seconde nature, nous ont accoutumés aux dangers de la navigation maritime, et plus tard les peuples habitués à jouir

3.

des avantages du navire aérien, resteront étonnés des lenteurs qu'aura mises le génie de l'homme à en profiter. Mais
comme la navigation maritime, et plus récemment les chemins de fer, elle n'en fera pas moins faire un pas immense
à la cause du commerce et de l'industrie. Ce pas est dès à
présent nécessaire à franchir pour parer au développement
toujours croissant des relations et des affaires, pour occuper ces milliers de bras qui ne seront plus assez nombreux
alors; pour établir, fabriquer et produire tous les objets
d'échange que trafiqueront facilement entre eux les différents peuples du monde.

# CHAPITRE III

———————

Notre premier principe, en aérostation, est sans contredit, la force d'ascension obtenue par le gaz; sans elle l'aérostat est un corps sans âme, c'est lui qui le vivifie et lui donne l'existence.

Ce furent les physiciens, *Charles* et *Robert*, qui les premiers construisirent, en grand, un ballon à gaz hydrogène. Ils firent cette opération dans la maison qu'ils habitaient; place des Victoires, à Paris; et de là le ballon fut transporté au Champ-de-Mars, où eut lieu son ascension.

Le gaz hydrogène pur est le générateur de l'eau qui, on le sait, en contient deux parties, unies à une d'oxygène, ce qui en forme la base. L'opération consiste à unir l'oxygène avec un métal pour en dégager l'hydrogène : le fer et le zinc étant à bon marché, sont ceux généralement employés.

On procède ordinairement ainsi : on met dans un tonneau de l'eau et du fer en copeaux ou rognures minces ; on verse dessus de l'acide sulfurique, le mélange s'échauffe et bouillonne ; l'oxygène s'unit au fer, et l'hydrogène dégagé s'échappe et monte à la partie supérieure du tonneau, où on a eu soin d'adapter un tuyau recourbé qui le recueille et le conduit dans une cuve pleine d'eau, au-dessus de laquelle on place une cloche ou une autre cuve plus petite et renversée, qui remplit alors l'office de gazomètre. On multiplie alors les tonneaux générateurs autour de cette cuve, et comme son espèce de gazomètre est toujours beaucoup trop petit pour recevoir la quantité de gaz que l'on veut obtenir, il s'échappe à sa partie supérieure par un tuyau qui le conduit, soit directement à l'aérostat, ou mieux encore, à un appareil rempli de chaux à une basse température qui le sèche et le purifie avant qu'il n'arrive à sa dernière destination. — En chimie, on évalue à trois kilogrammes de fer et cinq kilogrammes d'acide sulfurique, la quantité nécessaire à la décomposition d'un litre d'eau; mais en pratique on augmente la quantité d'eau, et on multiplie le plus possible les surfaces de fer pour accélérer l'opération. Nous ne nous arrêterons pas davantage à ces explications, attendu que ce moyen, le plus usité pour les aérostats ordinaires, n'est point celui à qui nous donnons la préférence; il n'a jamais été que provisoire et la facilité de se procurer des appareils de circonstance a fait passer sur les frais notables que comporte cette méthode.

Nous emploierons pour notre navigation le moyen de production d'hydrogène découvert par *Lavoisier*, et qui fut mis en pratique avec avantage par les aérostiers militaires de l'école de Meudon, fondée en 1793, par d'illustres savants de l'époque, sous la direction de *Coutelle et Conté*. On sait les services qu'ils rendirent au siège de Maubeuge, à celui de Charleroi, et notamment à la bataille de Fleurus, où *Coutelle* et un de ses officiers, placés en observation dans leur aérostat tenu captif par les hommes de sa compagnie, rendaient compte au général en chef *Jourdan*, au moyen de signaux, des divers mouvements de l'armée ennemie. Ce moyen d'obtenir de l'hydrogène est beaucoup plus simple et surtout

plus économique à employer pour une pratique suivie. Il
consistait en un fourneau construit en briques et dans lequel
étaient placés transversalement des tuyaux en fer, remplis
de copeaux ou rognures du même métal, et chauffés au
rouge au moyen de bois ou de charbon, suivant les res-
sources de l'endroit. Un récipient, contenant de l'eau, était
également chauffé avec vigueur ; la vapeur était con-
duite dans ces tubes générateurs, garnis et rougis comme
nous l'avons dit, et elle arrivait à l'autre bout transformée
en hydrogène. C'est ainsi qu'ils obtenaiént au milieu d'un
camp, où les conduisaient les hasards de la guerre, des
quantités de gaz imposantes, dans un temps assez court re-
lativement à leurs moyens improvisés et cela avec une éco-
nomie bien supérieure à tous les autres procédés. Nous
n'hésitons pas à choisir le meilleur, aussi donnons-nous
grandement notre préférence au procédé si simple du savant *Lavoisier*, en y appliquant nécessairement les progrès
immenses que l'on apporte aujourd'hui dans la construction
et l'agencement d'un fourneau, travail qui nous est devenu
familier par l'emploi journalier de la vapeur avec ses engins
de foyer, chaudière, générateur, etc.

L'appareil destiné à la production de notre gaz sera extrêmement simple, et ressemblera assez, à l'extérieur, aux chaudières des machines locomotives, mais dans des proportions plus grandes, et avec cette différence que c'est le feu qui occupera la place de l'eau de ces machines à la partie intérieure; les tubes placés en cette partie seront en fer, et plus gros que ceux en cuivre où passe ordinairement la flamme du foyer; ils pourront se retirer à volonté pour les charger de copeaux de fer, qui après l'opération seront changés en protoxyde de fer, dont l'emploi se trouvera facilement dans les arts.

Au-dessus de cet appareil, dont chaque tube, passant au milieu du foyer, représentera assez bien les barreaux rougis d'une énorme grille, sera placée une véritable chaudière avec ses bouilleurs plongeant dans le foyer et garnie de ses tuyaux, soupapes, manomètre, enfin une chaudière complète. La vapeur une fois amenée à son degré, il suffira d'ouvrir le robinet qui la fait traverser les générateurs du foyer, placés dessous comme nous l'avons expliqué; la vapeur, après avoir opéré son passage au milieu de ce foyer incandescent, sera transformée à son extrémité en hydrogène et reçue dans un gazomètre disposé à cet effet. Le gaz ainsi obtenu est inodore et incolore, il jouit de toutes les propriétés physiques de l'air, exempt de l'odeur insupportable et asphyxiante de l'hydrogène carbonné, qui est plus lourd, et qu'on n'a employé dans les ascensions des fêtes publiques que pour la facilité qu'on avait de se le procurer immédiatement et sans peine.

Revenons à notre gaz, dont la force ascensionnelle est estimée à un kilogramme trente-six grammes par mètre cube.

L'appareil, ou les appareils, que nous avons décrits pour sa fabrication, se trouveront installés dans notre plan entre les chantiers de construction et la gare, ainsi que les gazomètres que nous n'avons pas décrits, parce qu'ils sont généralement assez connus; ils seront, ainsi placés, à même de fournir soit au chantier, soit à la gare, le gaz nécessaire pour l'ascension des navires en partance, ou pour les divers essais tentés sur ceux en construction; des compteurs seront placés aux prises de gaz pour en mesurer la sortie. Des appareils complets seront également établis dans les stations éloignées ou sur les points de relâche et de ravitaillement, ainsi que de plus petits dans les stations de moindre importance : ceci du reste rentre dans l'application du plan général.

Le navire équilibré et parti de la gare dans de bonnes conditions, sera susceptible d'enchanger, par la différence de température qui se fera sentir dans les divers pays qu'il traversera ; soit même par une variation subite de l'atmosphère. Ensuite il est de la plus impérieuse nécessité, pour la manœuvre, de pouvoir monter ou descendre à volonté, en un mot de se porter immédiatement dans un milieu favorable à la direction ou à la ligne à suivre, le vent ami étant d'un grand secours, et le vent ennemi n'étant jamais qu'un vilain drôle, auquel il vaut mieux laisser sa mauvaise humeur passagère que de tenter de lutter de vive force avec lui ; enfin, pour aborder les stations, il est, nous l'avons dit, de la plus urgente nécessité d'avoir la main haute sur notre force ascensionnelle et descensionnelle ; celle-là, comme toutes les autres forces, est extrêmement mauvaise tête, si on ne sait la dompter adroitement.

Pour l'avoir à notre disposition, voilà ce que nous avons combiné (observons que nous marchons par la force de la vapeur). Il y aura toujours dans notre foyer deux tubes générateurs à gaz, qui seront garnis, et par conséquent toujours prêts à fonctionner et portés au rouge. Pour obtenir l'équilibre qui manquera en ascension, il suffira de tourner le robinet d'un jet de vapeur pris au générateur de la machine; elle traversera nos deux tubes à gaz, au bout desquels l'hydrogène dégagé montera dans l'enveloppe autant qu'on voudra; notons aussi qu'à l'agencement général, nous donnerons la description de deux voiles plans inclinés qui nous apporteront déjà à volonté la descente ou la montée instantanée, et cela avec un léger retard dans la vitesse seulement. On pourra déjà par ce moyen équilibrer un poids assez considérable en ascension ou en descension, ce qui donnera le temps de produire du gaz pour l'équilibre complet, si c'est l'ascension qui manque. L'absorption et la liquéfaction du gaz hydrogène par compression, au moyen d'un appareil ressemblant assez à une machine pneumatique, dont le corps de pompe correspondra avec l'enveloppe au moyen d'un tube en soie caoutchouté, donnera le moyen de descension. Ce corps de pompe sera garni d'une forte boule creuse, faisant fonction de récipient, et le tout sera mis en marche par la force de la vapeur. Si je veux descendre, je fais pomper vigoureusement; le gaz absorbé, d'ascensionnel qu'il était, devient *poids* et nous baissons. Si nous voulons monter, je tourne le robinet du récipient, et mon gaz dégagé retourne dilater l'enveloppe qui me donne immédiatement l'ascension; si donc un moyen manquait, ce qui n'est pas probable, les autres resteraient toujours à notre disposition.

Cette manœuvre importante de se porter en haut ou en bas à volonté, nous est donc tombée à profusion entre les mains : 1º le moyen mécanique à plans inclinés pour toute manœuvre prompte et immédiate ; 2º l'absorption du gaz ; 3º sa reproduction pour les cas moyens ; 4º la production complète d'un nouveau gaz pour les grandes circonstances comme celles-ci, par exemple : J'admets que nous fassions un voyage de découvertes, une traversée au long cours, en pays sauvage ou inexploré, en dehors de toute station posée, ou pour en poser une nouvelle, je suppose : notre machine se chauffe au charbon de bois, auquel j'ai donné la préférence à cause de sa légèreté ; notre foyer contient ses tubes à gaz, et notre navire est callé avec des copeaux de fer, ce qui fait que partout où je m'arrêterai, je trouverai du bois que je convertirai en charbon, et de l'eau pour mon moteur et mon générateur à gaz : je pourrai ainsi, à peu près en tous pays, trouver de quoi ravitailler ma force ascensionnelle, donner des aliments à mon locomoteur, et avec cela j'irai plus loin, ou je reviendrai à mon point de départ suivant ma fantaisie ou la nécessité. Voilà quant au présent.

Il me semble que nous possédons tout ce qu'il faut pour

être au mieux avec la force ascensionnelle du gaz. Nous ne
sommes pas à son caprice, et elle est bien entièrement à
notre disposition ; ce n'est plus notre maître indompté, c'est
notre serviteur et notre ami, prêt à nous monter après lui à
la recherche des vents de notre bord, prêt aussi à nous
descendre ou à nous balancer mollement sur les ailes des vents
favorables, confiant dans leur collaboration pour nous aider
à cingler vers le but que nous voulons atteindre, avec leur
rapidité déjà si grande, et en les devançant même à la course.

# CHAPITRE IV

## L'enveloppe-coque

Après la formation du gaz, l'enveloppe est nécessairement ce qui doit attirer le plus notre attention et mériter tous nos soins. En effet, c'est à sa solidité, à sa bonne exécution qu'est remise la sécurité et la garantie de notre existence ; de sa forme dépend la rapidité avec laquelle nous arriverons à parcourir aisément les airs : nous ne pouvons donc apporter trop soin et d'attention pour amener son exécution solide et parfaite.

Commençons par l'étoffe. Là, comme dans beaucoup d'au-

tres parties de notre navire, le progrès des arts est venu
merveilleusement à notre aide sans le savoir ; l'industrie
des étoffes de soie caoutchoutée a fait un pas de géant ; in-
connue aux premiers temps de l'aérostation, elle est arrivée
aujourd'hui à nous donner des échantillons tels qu'ils ne
laissent rien à désirer pour notre usage. On peut en donner
une idée en citant ces coussins remplis d'air sur lesquels se
tiennent assis nos hommes de cabinet des journées entières
sans déperdition sensible, et cela, cependant, en raison du
peu de capacité de ces objets avec une pression supérieure
à celle nécessaire en aérostation [1].

L'étoffe de notre navire se composera donc de deux parties de satin croisé, ou double Florence, caoutchoutée chacune
séparément, puis collées et réunies ensemble par une couche intérieure, afin d'obtenir leur adhésion parfaite et le
degré d'imperméabilité nécessaire à leur emploi. L'endroit
des coutures sera également collé et uni par les mêmes
moyens avant d'y passer la soie des coutures, et, par-dessus
le tout réuni, une autre couche sera donnée pour boucher

---

1. La galvanoplastie sur une grande échelle donnera des enveloppes
métalliques que l'aérostation future essayera.

les trous imperceptibles qu'aurait laissés le passage de l'ai-
guille.

Voilà pour l'étoffe, qui est à souhait. Occupons-nous
de la forme de la coque, qui doit être longue et effilée
comme celle d'une corvette; elle représentera même assez
bien cette forme renversée; le dessous alors, au lieu d'être
plat, sera légèrement arrondi. Nous ne croyons pas avoir
besoin de démontrer l'absolue nécessité de cette forme allongée, car nous en avons des modèles dans les poissons
avec lesquels notre situation, sans être identique, a cependant plus d'un rapport sérieux.

Cette forme allongée a été comprise de tous temps par
les constructeurs de navires; c'est peut-être parce qu'elle
est si répandue qu'on l'oublia aux premiers temps de l'aérostation : on voulait faire école complète; cependant elle
a été proposée assez souvent dans ces derniers temps, et notamment par le baron *Scott*, un des premiers qui lui donna
la figure exacte d'un poisson.

Il est, du reste, impossible de s'éloigner beaucoup de cette
forme, si l'on veut obtenir une propulsion dans l'air, et ceux

qui ont cherché à donner une direction aux aérostats sphériques ressemblent assez à un plaisant qui s'embarquerait dans une cuve, et prétendrait avec cela cingler vers un point quelconque. L'on se moquerait de l'opérateur et on aurait raison. Du reste, aujourd'hui, personne ne conteste la écessité de cette forme allongée pour obtenir une direction; aussi nous empressons-nous de l'adopter comme moyen unique.

Je vais maintenant anticiper sur la description du chantier de construction, afin de donner une idée de la facilité que nous aurons pour exécuter notre aérostat dans ses moindres détails, et lui donner tous ses perfectionnements, sans peine, sans calcul ni algèbre, du premier coup enfin, — et sans fausse coupe.

Après avoir arrêté préalablement la dimension que nous voulons donner à notre navire en grand, suivant la force ascensionnelle ou équilibrante qu'il devra posséder, nous prendrons, suivant l'échelle de proportions, la quantité de terre glaise nécessaire, que nous cuberons, comme nous l'avons fait au chapitre d'essai, et que nous allongerons ensuite pour obtenir la forme exacte que nous voulons don-

ner à notre navire ; puis, nous remettrons à l'architecte ce
plan modèle de notre chantier; il procédera ainsi :

Après avoir fait enfoncer en terre une rangée de forts pilotis, il fera élever dessus, à cinq ou six mètres de terre,
une carcasse légère, mais solide, montée par ses charpentiers ; elle sera garnie grossièrement de lattes, et elle représentera la dimension et les contours de notre coque aérienne;
après les charpentiers, les maçons garniront le tout en
plâtre fin, cette fois bien lisse, bien gratté, d'un fini soigné,
et conforme à notre modèle.

Cela sera l'outil, le moule, autour duquel et sans y toucher sera monté un échafaudage propre, léger et solide, re-
couvert d'une tente ou d'un toit, afin d'en faire un atelier
où l'on puisse travailler à l'abri du soleil et de la pluie.

Ceci exposé, vous comprenez combien le travail de l'enveloppe devient facile à exécuter. Les pièces d'étoffe seront
déployées sur ce moule, et là elles seront taillées et jointes
sans l'ombre d'une fausse coupe ni d'un pli, ce qui est nécessaire à la solidité; il ne restera plus à lui faire,
lorsqu'elle sera sortie du moule, que la jonction inférieure

qu'on aura laissée inachevée pour cette opération ; avant
cela, on procédera à son vernissage qui sera de couleur
blanche, couleur que nous adoptons, à cause de sa propriété
de réfracter les rayons du soleil au lieu de les absorber,
comme le noir, par exemple.

Le moule ne servira pas qu'à ce seul travail. Il servira également à confectionner le filet supérieur établi en rubans de
double taffetas blanc, croisés, collés et cousus sur place ;
fait sur le moule, il aura ainsi l'avantage de prendre exactement la même forme que son enveloppe, ne lui laissant aucun endroit non soutenu par lui, ce qui est encore une grande
garantie de solidité ajoutée à la première.

Seront également ajusté sur ce modèle, ce que l'on peut
appeler l'armure de l'aérostat, c'est-à-dire le moyen qui le
rend rigide avec la nacelle. Ces pièces ont été nommées
équatoriales par l'académie de Dijon, qui les inventa pour
fixer à son navire d'essai les moyens de propulsion qu'elle y
avait appliqués ; mais comme ce cercle n'est plus équa-
torial dans notre navire, en raison de la place différente
qu'il occupe, nous lui donnerons le nom plus vrai de mâts
horizontaux.

Ces màts horizontaux consistent en deux planches légères faites en sapin, ou mieux en châtaignier, qui prendront horizontalement les flancs de notre enveloppe. Ces planches se joignent à l'avant et à l'arrière, où elles sont réunies et fixées au moyen d'un morceau de buffle collé et vissé; elles seront ainsi flexibles et pourront s'ouvrir sans craquement pour suivre les variations que le gaz pourrait faire subir à l'enveloppe.

Comme nous l'avons dit, la charpente du navire est fixée à ces màts, ou plutôt, ces màts sont fixés au navire par d'autres màts diagonaux reliés entre eux.

Quand je dis charpente, je parle de celle appliquée à l'aérostation, qui consiste à disposer de champ des planches minces juxtaposées, collées à contrefil et qu'on doit toujours présenter suivant la plus grande résistance qu'elles doivent vaincre ou servir.

Notre filet supérieur vient s'attacher à ces màts horizontaux; puis, au-dessous de l'enveloppe et s'attachant également à ces màts, seront des espèces de sangles ou sous-ventrières en caoutchouc, dont l'emploi sera de relever la

partie inférieure de l'enveloppe laissée vide de gaz, et l'empêchera ainsi de flotter en donnant une prise inutile au vent.

Lorsque notre enveloppe sera vide de gaz, elle restera
étendue sur ces sangles ayant son filet par-dessus; elle ressemblera ainsi à une voile plate, allongée sur ses traverses;
elle sera ainsi prête quand on voudra procéder à son rem-
plissage, sans avoir pour cela besoin d'aucun autre engin et
sans la changer de place. Elle se gonflera, remplira son filet,
tendra ses mâts horizontaux et formera ainsi un tout compact et rigide avec son navire.

A la pointe d'avant, où se joignent les mâts horizontaux,
sera fixée en flèche, un petit cône aigu en bois léger et dont
la base sera percée de trous, où seront fixées autant de lon-
gues tiges de jonc qui s'étendront le long de la pointe
de l'enveloppe; sur ces tiges de jonc sera tendue une
étoffe de soie rigide, à la manière des parapluies. Ce cône,
pour donner une idée saisissante de sa confection, ressemblera assez au volant dont se servent les jeunes filles pour
jouer; ainsi agencé à la pointe d'avant, il maintiendra le
bout de notre coque et l'empêchera de fléchir au vent, ce
sera notre coupe-air au lieu du taille-mer du navire marin.

Restent les soupapes à traiter également avec soin.
Voici d'abord comment nous agencerons celle dite soupape
de sûreté et destinée à parer à une dilatation violente
de gaz dans le cas où notre absorbeur n'agirait pas assez promptement. Nous obtiendrons ce résultat sans perdre
le gaz à sa partie supérieure où se trouve le meilleur, où
monte sa crème, si l'on veut bien ; pour cela, nous pratique-
rons à la base de l'enveloppe une ou deux ouvertures garnies chacune d'un tube en caoutchouc large, et qui remon-
teront en cheminée de chaque côté de l'enveloppe ou voile
montgolfière, qui, lorsqu'elle sera trop tendue, présentera
ses deux ouvertures par où s'échappera le trop plein.

Une autre soupape, destinée à perdre volontairement du
gaz, ou a le transvaser au gazomètre pour une cause de radoub ou de réparation quelconque, sera agencée ainsi : à
l'intérieur, un tube traversera verticalement toute l'enveloppe, et il sera fixé à son sommet, et surmonté d'une
cheminée à l'extérieur. Ce tube sera fait en caoutchouc, bien
élastique, et pouvant remonter à l'intérieur de l'enveloppe
par l'effet de son élasticité même ; à sa base sera fixée une
couronne à laquelle sera une corde en soie enroulée sur un
petit cabestan à manivelle placé sur le pont, sous la main

5

du capitaine; lorsqu'il voudra perdre de sa force ascensionnelle, il laissera rentrer cette cheminée plus ou moins dans
l'intérieur de l'enveloppe, et la couche inférieure du gaz se
précipitera par cette ouverture ; l'écoulement sera sponta-
nément arrêté lorsqu'on ramènera l'orifice à fleur de la partie inférieure de la coque ; par là, nous ne sortons pas de
notre principe, qui consiste à conserver toujours le meilleur
de notre force active d'ascension, ou plutôt de suspension.

Nous avons dit au chapitre des premiers essais qu'il n'é-
tait pas possible, dans des proportions petites, de soutenir
par le gaz un appareil d'essai ; d'abord par l'impossibilité
de s'y placer soi-même pour le gouverner, et en outre pour
la raison que nous allons donner et qui dérive de ce principe connu en aérostation : que, plus un aérostat sera
grand, plus, par conséquent, il contiendra de gaz en offrant
comparativement moins de surface résistante au frottement
de l'air; plus il sera facile de le gouverner au moyen des
agents moteurs et propulseurs qu'il pourra porter.

Supposons que notre aérostat cube deux mille mètres. Si nous le partageons en deux, il faudra garnir
d'étoffe ces deux parties, et elles offriront à l'air deux sur-

faces, deux frottements qui n'existaient pas avant. Si, sans nous arrêter là, nous continuons ainsi à le diviser, nous finissons par multiplier ces surfaces nouvelles à l'infini, et chaque fraction devient plus désavantageuse à gouverner à mesure qu'elle diminue de volume. On voit par là que c'est une erreur primitive que de vouloir enrégimenter plusieurs aérostats, qui offrent ainsi une bien plus grande résistance à l'air en déployant un grand nombre de surfaces résistantes. Seulement, il sera bon peut-être de partager l'enveloppe en cloisons intérieures, idée anciennement émise et proposée de nouveau par M. *Prosper Meller* jeune. Elle nous est venue à nous-même, en la voyant appliquée si intelligemment au navire monstre *le Léviathan*.

Ces cloisons intérieures de notre aérostat lui donneront une grande garantie d'insubmersibilité dans l'air. Si, par exemple, l'une de ces cloisons vient à être percée accidentellement, les autres, qui ne communiquent pas avec elle, soutiennent l'appareil, et le navire descend, mais ne tombe pas ; alors une des pièces de radoub, que l'on aura toujours toute prête au bout d'une longue latte, espèce de pelle de boulanger légère, sera appliquée à l'endroit troué ; on produira du gaz immédiatement, et le navire continuera se marche.

Outre que ces compartiments rendent le navire insubmersible, sans lui retirer aucun de ses autres avantages, ils lui donnent une garantie d'équilibre horizontal, en empêchant la masse du gaz de passer brusquement et avec secousse d'un bout à l'autre de l'enveloppe. Dans un coup de vent, les cloisons auront l'avantage de le maintenir horizontal *quand même*, condition essentielle, état normal de notre navire, nécessaire pour sa manœuvre. Nous avons oublié de dire que ces cloisons partageront la partie supérieure de la coque seulement, afin que le trop plein de l'une passe à l'autre et qu'on puisse fournir par là du gaz à toutes en même temps.

Revenons maintenant au morcellement du gaz. Vous avez vu que plus nous arrivons à de moindres dimensions, plus il devient difficile, impossible même, d'exécuter en petit un modèle fonctionnant. On ne peut arriver à en établir un modèle d'essai, qu'en donnant au gaz une capacité qui sort de ses vraies proportions à l'échelle comparative, et qui, par cela, paraît ridicule et outré.

Néanmoins, M. *Dupuis Delcourt*, notre maître, a fait, en 1849, un essai public à l'orangerie du Luxembourg avec une petite machine équilibrée par le gaz, donnant ainsi la

preuve de la puissance de l'hélice conchoïde dont il avait
armé son appareil. Depuis, M. *Jullien, de Villejuif*, a fait
également, plus en grand, ce même essai à l'Hippodrome
avec des pales droites, en présence d'amateurs, et notamment de M. *Julien Turgan*, qui en a fait un rapport con-
signé aussi dans son histoire de l'aérostation. Tous deux ont
obtenu un succès ; sans que l'on ait peut-être mûri et pesé
les conditions désavantageuses dans lesquelles ils se trou-
vaient, et malgré cela, cependant, tous deux ont marché,
propulsé en plein air et contre le vent même.

Que ne doit-on pas espérer après cela d'un navire établi
dans des conditions normales, où seraient placées, à côté de
la machine brute, la vie et l'intelligence de l'homme qui
l'anime de sa pensée, de son jugement et de son coup d'œil
appréciateur, commandant à la matière de fonctionner avec
précision pour servir à ses besoins ?

Après l'exposé des moyens que nous possédons pour la
construction de notre enveloppe, vous voyez qu'une coque
de navire aérien, telle que nous venons d'en arrêter l'établissement, est aussi sûre en l'air que peut l'être sur l'eau la
charpente du navire le mieux entendu, et plus même, car

5.

elle n'aura pas à redouter, dans cet océan atmosphérique
où elle navigue, les écueils et les bas-fonds qui font souvent
la perte du navire marin, dont le capitaine ne peut pas toujours apprécier et connaître à chaque instant ce qui se passe
sous lui.

Lorsque nous aurons une école de navigateurs aériens,
qui dérivera sans doute de celle de nos jeunes gens de la
marine aquatique [1], il est probable que dans la comparaison
qu'ils feront alors des positions de ces deux navires,
ils donneront grandement la préférence à l'aérien, comme
courant moins de dangers dans son élément d'abord, ensuite
parce qu'il peut cingler d'un bout à l'autre du monde, sans
limites, sans côtes qui l'arrêtent; sans récifs ni bas-fonds
qu'il ne puisse voir et éviter immédiatement; puis ses tra-
jets, à lui, sont directs. Sans doubler aucun cap, sans faire
aucun détour, il ira bravement et droit à son but servir nos
recherches scientifiques, notre commerce et notre industrie ;
il ira poser ses stations au centre des pays les moins connus
et ouvrir des comptoirs d'échange inespérés jusqu'alors.

1. La marine étant essentiellement aquatique, nous ne lui donnons ce
nom que pour établir une distinction avec la navigation nouvelle.

Nos marins ont planté les jalons de notre pouvoir sur le bord des océans; les aéronautes, eux, iront les placer au centre des continents; ils choisiront des positions respectables pour établir leurs stations, et de là leur influence s'étendra sur le pays voisin; le monde entier étonné reconnaîtra l'ère nouvelle, il sentira la puissance du génie, le règne de l'intelligence et du progrès européen, et se soumettra sans peine à ses bienfaits.

Puissent alors rester sages les hommes qui auront la puissance et ne pas briser ou fausser ce bel outil du progrès ! Il se peut, mes amis, que la routine, cette pierre si lourde à mouvoir, m'empêche de réaliser promptement ces projets; mais, je l'espère cependant, je l'aurai ébranlé si fort, qu'avec l'aide de ce levier d'or qui remue tout, l'obstacle disparaîtra, — et alors le génie de l'aérostation, déployant ses ailes et brisant les chaînes qui le retenaient captif, parcourra le monde pour l'éclairer de son flambeau, puissant foyer de lumière et de bien-être pour tous.

# CHAPITRE V

L'hélice, le moyen par excellence , comme nous l'avons appelé, et dont *Sauvage*, l'inventeur, nous laissa entrevoir la future application à la navigation aérienne aussi bien qu'à la navigation maritime, à laquelle il l'avait primitivement destinée, est l'engin le plus propre à la navigation atmosphérique.

L'hélice aérienne et l'hélice marine ont plus d'un rapport entre elles ; elles agissent chacune plongée entièrement dans le fluide où elles se trouvent, et sauf la différence de densité des deux fluides, elles ont des effets identiques.

L'hélice aérienne doit être moins nombreuse de pales que la marine; trois est le nombre maximum. Pour la solidité, la facilité d'exécution, et surtout la manœuvre, il vaut mieux les réduire à deux, parce qu'étant ainsi, lorsqu'on procédera à une descente, on fera tenir à leurs deux pales la position horizontale, et l'on pourra, par ce moyen, s'approcher de terre ou s'en éloigner, sans être gêné par leur dimension assez notable.

Il est essentiel que ces hélices soient placées à l'avant du navire pour obtenir une propulsion; cette place est nécessaire d'ailleurs pour la manœuvre et la fonction des voiles d'Architas, dont nous allons parler. L'hélice ne peut pas non plus, comme je l'avais imaginé d'abord, être placée au centre de l'enveloppe, au milieu résistant de sa pointe d'avant : à cette place, elle envoie sa colonne d'air sur les flancs de l'enveloppe, qui la lui rend sans obtenir de propulsion, ou une beaucoup moindre qu'à sa vraie place, qui est sur la première galerie, son centre d'action situé un peu au-dessous de l'enveloppe. Elle doit être double, c'est-à-dire une de chaque côté de la pointe d'avant, et toujours le centre légèrement à sa partie inférieure, où elles peuvent s'appuyer fortement et librement sur la colonne d'air.

La paire d'hélice est plus difficile à agencer pour nos connaissances de constructions aériennes actuelles ; mais c'est le moyen le plus rationnel en principe, et le meilleur; le plus vigoureux en pratique. Elles se composent ainsi :

D'abord, leur arbre de propulsion, fait d'un tube d'acier fermé au bout au moyen d'un goujon, du côté où seront leur excentrique, ou manivelle, destinée à recevoir l'action de la machine ; l'autre bout de cet arbre où s'ajuste l'hélice, sera terminé par une flèche à l'endroit où devra être fixée l'hélice ; il sera également soudé sur cet arbre, une croix en acier qui lui servira de portée et d'assise ; le moyeu de l'hélice sera encoché en croix pour s'incruster sur cette portée, et par-dessous, une rondelle et un écrou pour rendre le tout bien solide. Ce moyeu, ou porte-hélice, aura deux longueurs dépassant de chaque côté, où viendront se fixer les deux bras de nos hélices, qui seront placées dès lors dans leur inclinaison nécessaire. Leurs pales auront la courbure en arc que possède l'avant de l'aile d'un oiseau, les membranes seront en baleine et recouvertes en taffetas ; le tout ressemblera assez à l'aile de la chauve-souris. Il est essentiel que ces ailes soient conchoïdes et flexibles, sur les bords surtout, et l'ensemble amené à la plus grande légèreté possible. Elles doivent être nues et bien dégagées au centre, car il faut maintenir et diriger ces deux voiles circulaires, avec le moins de matières possibles. Des bandes d'acier ployées en V dans leur longueur · sont acceptables, mais la baleine serait mieux.

On sait que la circonférence d'une roue, tour pour tour, parcourt bien plus de chemin que le centre du rayon : c'est ce qui fait que nos voiles à hélices, placées à cette circonférence, filent hardiment et à grands pas dans l'air, tandis que le rayon qui va beaucoup moins vite reste un obstacle, si l'on n'a eu le soin de l'effacer autant que possible ; sans cela il paralyse la vitesse de la circonférence, qui est obligée de le traîner malgré son mauvais vouloir, et annule en partie ses efforts.

Je suppose même qu'il doit en être ainsi de l'hélice marine ; mais pour l'hélice aérienne, ce ne sont pas des suppositions ; car je l'ai essayée, cette hélice, dans toutes les conditions imaginables, et si je me suis arrêté à un point, c'est que j'ai reconnu que c'était le meilleur.

Passons maintenant aux *voiles d'Architas*. Nous les nommons ainsi à cause de l'analogie qu'elles ont avec le cerf-volant, et nous leur donnons le nom de son inventeur.

Ces voiles constituent notre manœuvre de *plans inclinés* qui doivent nous donner la montée ou la descente immédiate. Elles consistent en ceci : de chaque côté de la coque et fixées à pivots aux mâts horizontaux, à partie équilibrante de tout l'appareil, elles seront formées de deux châssis longs et légers tendus de voiles en taffetas. Ces châssis seront fixés par leur côté à droite et à gauche, aux flancs du navire ; comme deux ailes ouvertes et permanentes, et ainsi agencées, manœuvrées par des cordes en soie, elles pourront prendre, suivant leur besoin, la position horizontale ou verticale, même celle perpendiculaire. La manœuvre consistera dans les différentes positions de ces ailes pour ce que l'on voudra en obtenir, et elle sera déjà passablement compliquée : virer à droite, virer à gauche, monter, descendre, arrêter court, tourner, etc.

Lorsque nous voudrons monter, par exemple, on fera incliner ces deux voiles de façon à leur donner une position diagonale, la pointe d'avant en haut ; elles tiendront ainsi la poisition exacte du cerf-volant ; les hélices tirant à l'avant

6

feront l'office du gamin tirant la corde, et l'appareil montera
sans quitter sa position horizontale. Il en sera de même
quand on voudra descendre; il suffira de mettre en bas les
pointes d'avant, qui feront produire l'effet contraire, et l'on
descendra, soit pour se reconnaître, soit pour s'ancrer, mesurer le chemin parcouru, ou toute autre raison. Par cette
manœuvre déjà, nous pourrons rechercher et nous porter
aux courants favorables prendre, le vent, le choisir, et équilibrer notre machine pour continuer notre route en leur
faisant prendre la position horizontale, ou en les carguant
sur les flancs du navire aérien.

Quelque favorable que soit le vent, il sera toujours nécessaire de faire agir l'hélice, pour marcher en plus de sa vitesse
d'abord, ensuite pour pouvoir la biaiser dans l'un et l'autre
sens au moyen du gouvernail, et pour arriver ainsi au point
donné.

Cette vitesse du vent est déjà quelquefois assez considérable par elle-même. J'ai sous les yeux la relation d'un
voyage que fit, en 1852, *M. de Rovère*, dans le ballon *l'Aigle*
en compagnie de M. Tontain. Ils parcoururent l'espace de
quatorze lieues en quarante minutes, soit un peu plus d'une
lieue en trois minutes.

On sait que la flamme d'une bougie, mise dans la nacelle d'un aérostat qui marche avec cette vitesse, n'y subit aucune oscillation; or les voyageurs aériens, dans ces conditions, ne s'apercevront pas de cette vitesse première du navire, sensible seulement pour eux, de ce qu'elle sera augmentée par le jeu de ses hélices. Cette marche n'aura donc rien de brusque; et il n'y aura aucun courant d'air en rapport avec la vitesse fabuleuse avec laquelle nous parcourrons l'espace.

Nous voyons aussi que nous n'aurons rien à redouter des vents, et que, comme nous l'avons déjà annoncé, ils seront bénévolement nos auxiliaires puissants. Leur fureur ne s'exerce jamais qu'à l'endroit où ils trouvent un obstacle, ils brisent le chêne et passent par-dessus le roseau. Pour nous enfin, devenus leurs hôtes, nous serons en sûreté chez eux et sacrés, comme le voyageur sous la tente de l'Arabe : ce n'est qu'une fois dehors qu'ils retrouvent leur droit de vengeance ; et nous aurons l'avantage que, quand même ils seraient furieux, s'il existait un orage, enfin, à l'endroit où nous voulons opérer une descente, nous n'aurions qu'à nous élever en l'air et y rester en panne dans la région calme supérieure. Le moment favorable pour une descente ne se fait jamais attendre en pareille occasion ; l'orage n'étant qu'un fait partiel et passager.

Notons aussi qu'il n'y aura rien à redouter pour nous de l'électricité atmosphérique. Des aéronautes nous annoncent dans leurs relations qu'ils ont été plongés tout entier au milieu de cette électricité et n'en ont rien ressenti ; ils sont en cette occasion comme l'individu monté sur un tabouret de verre et fortement électrisé. Le serait-il à tuer un bœuf, il n'en ressent rien par lui-même; ce n'est qu'au contact d'un autre objet qui partage sa charge, qu'il reçoit, ou plutôt communique sa commotion. Cet objet étranger, nous ne le rencontrerons pas en l'air, et notre charge électrique s'évaporera avec le milieu que nous aurons traversé.

Pour nous, les orages ne seront donc plus que de simples objets de curiosité et de distractions au milieu de nos voyages; et il n'en peut être autrement, puisque de simples aéronautes les ont traversés sans dangers avec leurs frêles embarcations, soutenues pour ainsi dire dans le vague des airs par une bulle de savon!

Puis, les observations de *Saussure,* confirmées par celles de *Cassini, Berthollet, Guyton-Morveau,* et par des expériences scientifiques, constatent qu'à certaine hauteur de l'atmosphère, 10,000 mètres environ, la température est sensiblement la même sous tous les climats et en toutes saisons, ce qui sera d'un bénéfice immense pour la future nautique aérienne. Il est également constaté qu'à cette même hauteur les irrégularités des mouvements de l'atmosphère ont cessé. « On y jouit, disent-ils, de larges courants, sortes de vents » alizés encore peu connus, » et, comme l'avait supposé *Franklin,* la masse fluidique, dans ces régions, semble mue par un courant unique de translation d'occident en orient.

Que ne doit-on pas espérer, après cela, de l'avenir de notre navigation ! Lorsque dans un espace de six à huit mille mètres environ, nous trouvons à peu près tous les vents : et au-dessus le calme et la même température en toute saison, au-dessus des déserts de l'Afrique, comme aux climats moyens ; et, d'autre part, quand la terre entourée de vapeurs nuageuses sera privée de soleil, nous, dans les hautes régions, nous jouirons des bienfaits de ses rayons, peut-être même recevrions-nous de ses coups, sans l'égide que nous prêtera la grandeur de notre enveloppe. Après cela, mes amis, je le demande, n'aurons-nous pas vraiment le droit de nous proclamer navigateurs privilégiés ?

Que reste-t-il donc encore ? — Marcher contre le vent,

6.

comme se plaisent à le demander ceux qui croient opposer
par là une barrière infranchissable à la future nautique
aérienne... Mais, plus heureux en cela que le navire marin,
nous y marcherons d'une façon triomphale. Que fait-il, lui,
par un vent contraire? Il serre au plus près, c'est-à-dire
qu'il navigue péniblement, faisant vingt lieues de marche en
zigzag, pour avancer de trois ou quatre vers son but, et
encore ne peut-il entrer ou sortir d'un port par un vent
tout à fait debout; en pleine mer, souvent, il met en panne
ou se contente d'ancrer, pour ne point aller à reculons; et
ce moyen boiteux, que la marine a mis des siècles à produire, avant que l'application de la vapeur vint l'en débar-
rasser en partie, on le demande parfait et d'un seul bond
à l'aéronautique, pour croire à sa possibilité! Et, chose
rare, sublime, ce moyen de marcher par tous les vents, elle
le donne néanmoins; elle le possède au plus haut degré;
normalement, simplement, par sa nature même. Quand le
navire marin se voit bloqué dans un port par un vent contraire, il nous suffira de forcer l'ascension de notre navire
aérien, qui, montant avec rapidité, échappera à la violence
du vent; et si pendant quelques minutes nous subissons
une dérive, un kilomètre ou deux, je suppose, ensuite, dans
la région calme où nous serons arrivés, au soleil le our, la

nuit à la clarté des étoiles qui nous serviront de guides, nous marcherons au-dessus de ce vent, dans le calme et à contre-sens, regagnant le temps perdu par notre montée, et profitant de ce même vent, s'il est constant, pour marcher avec lui à notre retour.

Voilà ce que nous ferons, d'une façon bien simple, et ce que ne peut faire la marine aquatique après des siècles d'études et des manœuvres compliquées. Ne vous semble-t-il pas, amis, que ce problème est résolu à la façon de celui de l'œuf de Christophe Colomb?

Il est certain que la connaissance exacte des vents régnants dans les hauteurs de l'atmosphère, mis à l'étude comme l'ont été les moussons et les vents alizés régnants à l'approche des continents et sur la surface des mers, serait d'un grand secours à notre nautique. La topographie de l'air est encore à dresser : qui nous empêchera de la faire?

Il y aura aussi à étudier dans les hautes régions les marées aériennes, qui existent très-probablement, et sont de nature analogue à celle des océans. Les mêmes causes doivent produire des effets à peu près semblables.

Quel vaste et magnifique champ d'observations !

*Guyton-Morveau*, dans son excellent livre : *Description de l'Aérostate l'Académie de Dijon*, 1 vol. in-8°, 1784, pag. 113-119, avait dit : « Il est permis de conjecturer qu'à une certaine hauteur l'atmosphère n'est plus agitée, ni avec une égale impétuosité, ni dans la même direction qu'à la surface du globe... Quelle facilité, quelle sécurité pour les voyageurs aériens, si en s'élevant à une certaine distance de la terre, ils étaient toujours assurés de sortir en même temps de la région où les éléments s'entre-choquent, où se forment les tempêtes, s'ils étaient maîtres d'arriver à un océan où régnerait continuellement le calme et l'équilibre, où les plus faibles moyens suffiraient pour décider leur marche ! »

Par suite des innombrables ascensions faites depuis dans les deux mondes, ces conjectures de l'illustre et savant Guyton-Morveau se sont changées en quasi-certitude ; et M. *Dupuis-Delcourt*, que ses expériences ont tant de fois porté dans l'océan atmosphérique, où il a erré et passé des nuits entières, a pu dire, dans son *Rapport à Son Excellence le ministre de l'intérieur, sur l'art aérostatique et son*

*application aux transports par air*, in 4°, 1845, pag. 14-15,
en discourant sur la mobilité de l'air, tant de fois opposée
aux succès de la future aéronautique : « Pour l'aéronaute,
les airs seront toujours tenables. Dans les hauteurs, d'ailleurs bien modestes, dont le parcours lui est permis, entre
six et huit mille mètres, en toutes saisons, sous toutes les
latitudes, on trouve habituellement une température égale,
et le plus souvent, le calme et l'équilibre. De larges
vents alizés y sont en permanence ; et l'atmosphère, bien
mieux que les mers les plus tranquilles, méritera véritable-
ment le beau nom d'*océan pacifique*. Que seront pour le
navigateur aérien, les trombes, les orages? Ces phéno-
mènes ont la terre pour base, le sol ou la surface des mers
pour point d'appui. Déjà l'aéronaute, malgré la faiblesse des
machines actuellement en usage, voit sans inquiétude, du
haut de sa nacelle, et comme les tourbillons de poussière
que le voyageur à cheval fait naître et mourir sous ses pas,
l'agitation des régions inférieures de l'air. Les pressions et
dépressions de l'atmosphère se font à peine sentir dans les
hautes régions ; elles seront un spectacle curieux pour le
voyageur aérien. — Rien de plus. »

# CHAPITRE VI

Moteurs appliqués à notre navigation.

---

Continuons notre description. Nous voici au nerf, à la vigueur; à la force qui doit animer notre navire et le faire cingler dans l'espace.

Nous avons le choix entre plusieurs de ces moteurs, et nous parlerons des plus forts seulement pour démontrer que, si nous en avions besoin, ce n'est pas la puissance qui nous manque, bien au contraire, nous en aurions à revendre.

Si nous donnons la préférence à un moyen connu et usité, ce n'est que parce qu'il nous donne des garanties de voyager avec lui partout où bon nous semblera, assurés d'y

trouver de quoi pourvoir aisément à son entretien et à l'é-
tablissement de nos stations. Car, malgré les puissances
énormes comme moteurs, de la poudre, du gaz acide carbonique ou de l'éther dilaté, nous n'en choisissons pas moins
la vapeur d'eau, qui fut, dès la naissance de son application,
destinée à la navigation aérienne.

M. *Charles Genet,* Américain d'origne, ami et contempo-
rain de *Fulton,* en proposa l'emploi, dans son mémoire pu-
blié en 1825. Vous voyez que son application à la nautique
aérienne n'est pas neuve ; et *Fulton,* ainsi que *Sauvage,* ces
grands novateurs dont nous cultivons les idées, ne dédai-
gnèrent pas, dans leurs vastes conceptions, tout ce qui se rat-
tachait à la navigation atmosphérique, qu'ils sentaient approcher de son état pratique et de sa phase industrielle.

Un mot en passant, ami, que je laisse à votre méditation,
sur le mauvais vouloir ou sur la paresse de l'esprit de routine. Chacun sait que l'emploi de la vapeur d'eau comme
moteur, appliquée à la marine d'abord, à l'industrie ensuite,
fut proposée, en 1804, à l'empereur Napoléon, qui, ayant à
s'occuper de bien d'autres choses, renvoya le mémoire devant une commission savante, laquelle repoussa net l'inven-

teur. Mais ce que beaucoup semblent ignorer d'abord puisqu'on n'a pas encore dressé une statue à *Fulton* dans aucune gare ni sur aucun port, c'est que ce fut lui, primitivement artiste peintre, puis ingénieur-mécanicien ensuite, et Français, entre autres titres, qui fit cette proposition.

Ce que l'on ignore surtout, c'est que cette proposition, ce mémoire, étaient appuyés d'un bateau-modèle, fonctionnant par cette même vapeur et parcourant, naviguant, faisant ses évolutions sur la Seine, du pont des Arts à la gare de Bercy.

C'est avec des preuves aussi palpables, aussi évidentes, c'est avec le trésor, la trouvaille en main, exposé à la vue, à l'appréciation de tous, qu'il a été refusé !

Ce fut seulement alors qu'il s'embarqua pour l'Amérique, moins casanière dans ses idées, et qui eut ainsi le bénéfice et la gloire de posséder les premiers navires marins à vapeur.

Ceci devrait servir de leçon — non pas à la vieille routine, — mais à la jeune France du progrès.

Revenons au moteur de notre navire. Nous ne ferons que citer les forces dont nous pourrions disposer au besoin, telles que les machines à gaz acide carbonique, dilatant son volume un nombre de fois considérable ; puis celles à éther jouissant également, par la chaleur, d'une dilatation et par conséquent d'une force extrêmement puissante ; nous n'en ferons pas de description. Elles ont été essayées avec beaucoup d'intelligence et ont donné à leurs maîtres des résultats merveilleux ; nul doute qu'elles n'aient été appliquées déjà à la navigation aérienne si elle eût existé ; du reste, nous attendons ces braves champions au jour où nous proposerons les machines de nos navires aux soumissions des entrepreneurs. Rien ne pouvant tenir lieu d'expérience, nous ne nous prononçons pas irrévocablement en faveur de la vapeur d'eau, à qui nous donnons la préférence, parce qu'elle est bon marché, qu'on peut se la procurer partout, nous l'avons dit, qu'elle nous fournit du gaz hydrogène immédiatement ; et enfin parce que nous espérons l'employer plus intelligemment, plus économiquement qu'on ne l'a fait jusqu'à présent.

En effet, qu'a-t-il manqué jusqu'alors pour la perfection de ces machines ? Peut-être un concours et des prix soldés pour l'amélioration de la race des chevaux-vapeur qui, pourtant, en valent bien d'autres ; ce qui a manqué surtout, c'est que le litre d'eau coûtât cinq francs, au lieu de n'avoir aucune valeur : alors on aurait construit des chaudières beaucoup plus petites, des générateurs plus intelligents encore, et l'on aurait employé la vapeur plus économiquement, surtout à un plus grand degré de dilatation, pour la recueillir ensuite dans des condenseurs bien organisés.

M. *Henri Giffard*, auteur d'un mémoire aérostatique, a fort bien compris dans ses détails, comme légèreté surtout, l'exécution d'une telle machine ; et, certes, s'il eût, comme nous, expérimenté la place et les dimensions que doit avoir et occuper son hélice, nul doute qu'il n'eût obtenu un succès.

Voici les quelques traits qui caractérisent notre machine. Elle sera établie d'après les principes suivants : d'abord elle sera placée au troisième dessous, dans la cale du navire, tant pour maintenir l'équilibre par son poids que pour la tenir la plus éloigné possible de l'enveloppe ; elle sera, en outre, enfermée dans une cabine dont toutes les ouvertures seront garnies de toile métallique double et placées à distance l'une de l'autre; le calorique sera expulsé par le dessous de l'appareil et sortira par une cheminée horizontale également garnie de toile métallique.

Cette cabine ne contiendra que le foyer, sa chaudière générateur et attenante; les cylindres à distribution de vapeur seront à l'étage supérieur, à la galerie où sont placés parallèlement nos arbres d'hélices; les cylindres seront entre eux sur le même plan horizontal et placés à leur extrémité intérieure, faisant équerre avec eux; ils auront des tiges de pistons doubles, sortant de chaque côté des cylindres; de là partiront les bielles qui s'articuleront sur les manivelles des arbres; le tout en acier trempé revenu bleu, et dans les plus grandes et les meilleures conditions de légèreté et de solidité.

La vapeur perdue, sortant de ces deux cylindres horizontaux, passera immédiatement dans les tubes condenseurs placés tout le long de notre galerie, et exposés ainsi au courant d'air refroidissant produit par nos hélices; ces tubes, après avoir parcouru toute la galerie, viendront s'abaisser dans l'espèce de tender placé derrière notre chaudière, et où sera la provision d'eau et de charbon. Dans notre foyer seront placés les tubes en fer destinés à la production du gaz, ainsi que le canal qui le conduira de là à l'enveloppe.

Revenons à la galerie supérieure. Au bout de nos cylindres, sur la tige des pistons, sera articulé le bras du double corps de pompe destiné à absorber au besoin le gaz de l'enveloppe. Il suffira de la faire embrayer pour la mettre en fonction.

Tout cela, cylindres et accessoires, peut s'établir en fer forgé et avec de très-grandes conditions de légèreté. Nous n'avons que faire du poids énorme que l'on donne exprès aux machines locomotives pour empêcher le patinage ; mais, comme les locomotives, nous marcherons à pleine vapeur et à haute pression.

Nous pensons inutile d'entrer ici dans des détails d'effets ordinaires et devenus futiles, aujourd'hui que la vapeur est communément employée comme moteur. A part les points que nous venons de caractériser, ce ne serait qu'une répétition banale de ce qui est connu.

Maintenant que nous avons parlé des forces qui nous sont

7.

nécessaires, et indiqué celles dont nous pourrions au besoin disposer, je vais citer le rapport fait à l'Académie par une commission chargée d'étudier la direction des aérostats (6 septembre 1830, signé *Navier*), et dont vous connaissez sans doute la conclusion que voici : « C'est que, dans l'état présent de nos connaissances, la solution attendait la découverte d'un moteur plus fort que ceux connus alors. » Si cette question avait été décidée en 1783, à la naissance des aérostats, cela eût pu se comprendre ; mais au moment où il existait déjà de puissantes machines à vapeur, je trouve cela incroyable. S'il avait été dit « jusqu'à l'appropriation spéciale et bien entendu de nos forces actuelles ou à venir, » c'eût été beaucoup plus rationnel, à mon avis.

Notons, cependant, qu'aucune ligne de chemin de fer n'était encore établie en France ; mais comme cette solution faisait le compte de ceux peu avancés dans la question, et qui n'avaient pas le temps de l'étudier, ou ne voulaient pas s'en donner la peine peut-être, il suffisait de répéter cette phrase à tout questionneur importun pour sembler être compétent et lui clore la bouche. C'était facile, et tout ce qui est facile a du crédit quand il fait supposer des connaissances.

Il a été dit aussi, mais bien avant cette époque, et à propos du vol artificiel que l'homme ne prendrait point possession de l'empire des airs, parce que son organisation le lui défendait, n'ayant pas comme l'oiseau, la chaleur du foie et la force de ses muscles pectoraux. — Très-bien !

Mais à présent, nous pouvons répondre que nous sommes équilibrés dans l'air, et sans efforts de notre part, par le gaz hydrogène ; et cela, mieux et plus sûrement qu'aucun volatile. Ces oiseaux, que l'on nous vantait alors, n'auront jamais au foie la chaleur du foyer de notre machine ; leurs muscles ne seront jamais aussi forts que nos lames d'acier ; et leurs poumons, certes, n'auront jamais la puissance du souffle de notre vapeur.

Pourvu que nous ayons soin de notre vigoureux coursier, que nous lui donnions les aliments nécessaires, il nous servira toujours fidèlement, sans se plaindre de la fatigue ni du travail dont nous l'accablons.

La question actuelle, est de l'acquérir, ce coursier, avec les propriétés de sobriété convenable et appliquées à la circonstance ; c'est son estomac que nous devons perfectionner, sans rien lui retirer de sa force ni de sa vigueur. Après cela il nous conduira bravement aux grands exploits; nous promènera sur le monde ; et monté, sur ce nouveau Pégase, porté par les vents, nous irons, cinglant dans les airs, saluer les nouveaux horizons de notre pavillon national étonné de flotter dans ce nouvel océan conquis.

Nous irons étudier, là, ces éléments qui nous étonnent. Nous irons auprès de la grêle, des météores et de l'électricité, chercher de nouveaux prodiges à expliquer; découvrir de nouveaux problèmes à résoudre ; enfin, amis, nous voyagerons à la recherche de l'inconnu : pays, éléments, sensations, il y a là, ce me semble, de quoi encourager toutes les natures vraiment fortes et entières ; il y a là tout un monde à conquérir, des éléments à dompter, des populations à instruire, des ardeurs à satisfaire, — la science, le génie et les peuples en profiteront avec reconnaissance, et tous, après, vous béniront dans le présent et dans l'avenir.

# CHAPITRE VII

## Agencement général

————

Vous avez vu, amis, que nous possédons déjà tous les éléments nécessaires pour l'établissement d'une marine aérienne : SOLIDITÉ, SÉCURITÉ, FORCE et PROPULSION, rien ne manque. L'agencement n'est plus qu'un détail, important à la vérité, mais qui n'est plus rien après les bases premières que nous venons de poser.

Cet agencement pourra se faire de diverses manières, pourvu qu'on ne sorte point des principes.

Voici ce que nous adoptons maintenant pour notre navire, car nous le déclarons progressite et perfectible par l'expérience acquise, dont rien ne peut tenir lieu.

L'enveloppe, comme nous l'avons nommée, ayant la forme
du poisson, coupée et arrondie en dessous, les mâts horizontaux l'entourent; le filet qui s'y rattache la couvre, les sous-
ventrières inférieures élastiques achèvent de l'emprisonner;
le cône est à l'avant, entre les deux hélices parallèles
placées de chaque côté de la galerie; le gouvernail à l'arrière et les deux voiles d'Architas de chaque côté de la
coque, ainsi que les deux cheminées des soupapes de
sûreté.

Puis vient, au-dessous, la première galerie ou pont supérieur, qui prendra en suivant sa courbe toute la longueur inférieure de l'enveloppe. Ce pont sera garni de balustrades
hautes, solides et légères, comme tout le reste de notre navire. De chaque côté de cette balustrade, suivront les longs
tuyaux des condenseurs garnis intérieurement de toiles métalliques, et exposées extérieurement au courant d'air produit par nos hélices; ils conduiront la vapeur perdue, redeve-
nue eau, au tender, réservoir commun et point de départ.

Au milieu de cette galerie existe une dunette à jour, où
sera la chambre du capitaine de service et de ses officiers.
C'est de là que partira l'intelligence directrice et le com-

mandement supérieur, à la machine, au gouvernail, à la direction du gaz, aux voiles d'Architas, à la vigie d'avant, où des hommes de quart seront placés constamment, chacun à leurs différents postes.

La boussole sera installée sous les yeux du capitaine et de l'homme de quart à la barre, ainsi que le baromètre qui donnera les diverses hauteurs où l'on naviguera dans l'atmosphère.

La vitesse sera donnée au moyen d'un loch, fait d'un petit ballon équilibré d'hydrogène, qu'on laissera filer dans l'espace retenue par une corde à nœuds, ou mieux encore, au moyen d'un compteur fixe à hélice tournante, montée sur pivot, et ayant quatre ou six ailes exposées dans un tube au courant d'air, puis engrenant un rouage qui fera marquer des aiguilles à la façon des compteurs à gaz.

Le capitaine et son équipage auront ainsi constamment sous les yeux la vitesse et le chemin parcouru. Il prendra ses degrés en longitude et latitude avec le chronomètre et les instruments ordinaires à cet usage, que l'on appliquera aisément à la navigation aérienne; et il déterminera ainsi aisément sa position dans l'espace.

A l'avant et à l'arrière de cette galerie seront de petits
trucs à manivelles, où s'enrouleront les cordes des ancres
qui ne seront jamais que des crampons ou grapins. Au tiers
et à l'avant de cette galerie seront fixés, horizontalement et
transversalement, les deux cylindres, garnis de leur boîte à
distribution de vapeur, et de leurs bielles partant des doubles tiges de pistons, pour aller s'articuler sous les manivelles des hélices placées sur le même plan, et auxquelles
ils donnent la rotation.

A côté des cylindres, et prêts à s'embrayer sur leur tige de
piston, seront les pompes d'absorbtion et leur réservoir à
hydrogène concentré, garnis d'un manomètre pour estimer la
pression opérée. Il suffira de pousser à son cran le débrayage
à manche pour qu'elles fonctionnent, et le retirer pour faire
cesser immédiatement l'action; le petit robinet du récipient
sera prêt à fonctionner pour rendre à son état primitif ce
gaz à l'enveloppe.

Près de là, aussi, est un truc miniature, où s'enroule la
corde du tuyau de cheminée de la soupape intérieure de
l'enveloppe; plusieurs échelles de corde pour descendre
d'une certaine hauteur quand le navire sera à l'ancre, et une

autre qui conduira à un observatoire placé à la partie supérieure de l'enveloppe, et destiné à observer et constater
au zénith les fait météorologiques par qui en sera amateur.

Enfin sur ce pont, et en guise de canot de sauvetage ou
de transport, seront disposés des parachutes ployés et prêts
à fonctionner : quelques voyageurs aventureux pourront
s'en servir ; mais c'est surtout pour avoir une garantie de
sécurité de plus pour nos voyageurs. Puis viendront s'ajouter encore bien d'autres engins, que la pratique ou la pré-
voyance rendront nécessaires sans doute, et que l'expérience
amènera ; un mois de navigation en apprendront plus que
des années de recherches théoriques sur ce sujet.

A l'avant et à l'arrière, seront les entrées des escaliers
tournants conduisant à la partie inférieure, où seront les
salons des voyageurs et la partie luxueuse de notre navire.
Là seront disposés des hamacs, tables, divans, buffets, le tout
à la manière des navires les mieux organisés et les plus
confortables. Les voyageurs n'y seront pas incommodés par
ce tangage et ce roulis ordinaires aux navires marins. Le plus
grand calme apparent sera l'apanage de cette nouvelle locomotion, troublée seulement par les battements égaux de

sa petite machine, le bruissement occasionné par les courants d'airs produits par les hélices et frappant les condenseurs, puis le cri de la manœuvre et le sifflet de la machine retentissant dans l'espace, et annonçant son passage aux populations des villes et des contrées qu'elle traversera.

Nos voyageurs pourront donc contempler les régions célestes, ou bien jouer, causer ou dormir à l'intérieur. Abandonnons-les, puisqu'ils sont bien chez eux, pour nous rendre plus bas chez le mécanicien qui, lui, n'aura aucune communication avec le salon des voyageurs. Son escalier tournant sera enfermé dans un cylindre qui le mettra en communication directe avec la dunette du capitaine, qui par ce moyen pourra lui transmettre ses ordres au moyen du porte-voix.

Descendons un peu chez lui. Là, nous trouvons une miniature de locomotive; une machine légère et mignonne, acier trempé revenu, poli partout, et où se mirent le mécanicien et son ami le chauffeur-élève, qui sont là tous deux dans leur domaine. Derrière eux est la provision de charbon, au milieu et entourée de celle d'eau, qu'ils pourront augmenter en passant au-dessus d'un lac ou d'une rivière, au moyen

de seaux tenus au bout d'une corde, opération qui se fera
lorsque le capitaine en aura donné l'ordre, après avoir ap-
proché préalablement son navire de terre. Cela ne se fera
qu'en pays lointain, dénué de stations ; on remplacera
ainsi ce qu'aurait perdu la machine, perte qui ne sera jamais bien considérable.

Le foyer sera alimenté par un courant d'air qu'on ou-
vrira ou fermera à volonté. Sous la main du mécanicien
seront, le robinet de vapeur destiné à donner la puissance
aux cylindres, puis celui destiné à faire traverser cette vapeur au milieu des tuyaux gazogènes placés dans son foyer,
puis ses jauges, manomètres, thermomètres, niveaux de
chaudière, soupapes, enfin tous les accessoires indispen-
sables à sa manicle. Il sera dans sa cabine qui, comme nous
l'avons dit, aura ses ouvertures garnies de toiles métalliques
placées à distance ; cette toile garnira en plusieurs endroits
les tuyaux d'expulsion du calorique ; les plus grandes pré-
cautions seront également prises pour que rien ne s'échappe
des cendriers ; le dessous de cette cabine, qui est la cale du
navire, sera garni extérieurement de cylindres en caoutchouc
remplis d'air, pour éviter tout choc dans la descente : elle
viendra ainsi poser à terre sans bruit et sans secousse.

Ce petit yacht inférieur ainsi établi, sera suspendu, équilibré, et maintenu rigidement à la coque supérieure ou voile montgolfière comme on peut l'appeller, au moyen de mâts plats, verticaux, reliés entre eux, et croisés par d'autres en diagonale, qui viendront se fixer aux bandes équatoriales ou mâts horizontaux entourant l'enveloppe : le tout sera ainsi rigide, compact et jouira d'une grande facilité de propulsion, encore augmentée par le cône coupe-nuage placé à l'avant.

Il sera laissé à la disposition des voyageurs, des soutes à bagages, pour leurs marchandises ou celles expédiées par lettre de voitures, quand elles ne seront pas assez importantes pour nécessiter l'annexe d'un wagon spécial remorqué par la machine, et qui pourrait être au besoin remplacée ou suivie par un des voyageurs, s'ils croyaient y trouver plus de sécurité que sur le locomoteur ; il y aura à cet effet dans chaque gare et dans chaque station, de ces enveloppes-wagon indépendants, qu'il suffira de charger et d'équilibrer pour y être remorqués au passage de la machine.

Ces machines accessoires auront gouvernail, coupe-nuage, voiles d'architas, et absorbeurs à main ; elles seront montées par un ou deux capitaines en second qui suivront la manœuvre du locomoteur, et auront toujours soin de naviguer dans ses airs; la machine en passant pourra ainsi laisser tel wagon à destination et en prendre un autre ou l'annexer au premier.

Les dimensions d'un yacht aérien ou corvette d'essai, seront à peu près celles-ci : pour l'enveloppe dix mètres de haut, autant de large, et environ quatre fois cette longueur, pour cuber à peu près quatre mille mètres de gaz, ce qui nous donnera une force suspensive de cinq mille kilogrammes environ.

Quant aux navires, ils auront de plus grandes proportions; et comme nous l'avons annoncé, plus ils seront grands, plus ils seront avantageux, sûrs et faciles à manœuvrer.

Ce n'est ni la place ni l'espace qui nous manquent. Notre mer est assez vaste, et nos ports seront toujours assez profonds.

Celui qui aurait annoncé aux premiers Phéniciens nos vaisseaux de haut-bord, les eût effrayés assurément; tàchez, amis, de ne pas faire de même quand je vous expose un

8.

navire aérien en regard d'une nacelle d'aérostat; vous devez être familiarisés aujourd'hui avec les grandes choses, et les prodiges de la science doivent vous avoir habitués à ne vous étonner de rien; tout est possible avec le temps au savoir, au génie, à la conception humaine; et les sages barrières que Dieu nous a posées ne se rencontrent pas dans l'œuvre que je vous propose, que je vous annonce, et que j'aurai prédite et décrite, si je ne l'exécute point moi-même.

Je ne doute pas de la puissance physique et mécanique dont nous disposons pour nos navires aériens; mais je doute quelquefois du courage, de l'initiative. je dirai même du patriotisme industriel de notre nation. Et cependant, amis, je crois et j'espère; car c'est à nous que doit revenir l'honneur de lancer dans les airs les premiers navires aériens. C'est à nous, parce que nous sommes français, que l'aérostation est fille française; et que si nous ne le faisons pas, j'aurai écrit ces indications pour d'autres moins timides ou plus nationaux qui sauront en profiter à nos dépens.

# CHAPITRE VIII

Gares et chantiers

Les gares seront toujours accompagnées de chantiers de construction en rapport avec l'importance de ces mêmes gares.

Les objets les plus volumineux de ces chantiers, et qui attireront tout d'abord le regard des visiteurs, seront les moules à enveloppes de diverses dimensions, rangés en bataille avec leur échafaudage, galerie et couverture, qui étonneront sans doute ceux qui ne seront pas habitués à connaître les dimensions qu'on doit donner aux navires aériens.

Puis ensuite, les bâtiments de l'usine à hydrogène ; puis les gazomètres, eux-mêmes assez volumineux, avec tous leurs engins et compteurs.

Viennent ensuite les vastes ateliers de forge et outillage, pour la fabrication et l'application ou montage des machines, qui pourront être construites au dehors, jusqu'au moment où l'administration supérieure aura formé et réuni autour d'elle les hommes les plus capables, et qui auront le mieux mérité du travail ou de la conception.

Puis, conduit également par des hommes choisis dans leur partie, l'atelier de charonnerie, menuiserie, ébénisterie, chacun à leur travaux spéciaux ; les ateliers de peintres vernisseurs, décorateurs, et enfin les ateliers de précision, où seront exécutés les travaux de petite mécanique et les instruments appliqués à notre nautique aérienne.

La gare sera large et spacieuse, et toujours autant que possible située dans une vallée à l'abri des vents ; nos ports, à nous, ayant aussi besoin d'être abrités contre les orages et les tempêtes de l'air. Elle sera croisée à fleur de terre de lignes de fer, où rouleront enclavées intérieurement, des roues, à l'essieu desquelles seront fixés des anneaux pour amarrer les navires qui pourront être transportés, soit à la gare couverte, soit aux magasins ou aux chantiers.

La gare couverte aura une entrée large et grandement

ouverte, pour que les navires puissent y entrer au besoin
à grande vitesse et à plein vent. Son avant-port sera une
grande esplanade, croisée de quatre balustrades conver-
gentes au milieu, où les grapins, partant du centre du navire, pourront s'ancrer lorsqu'ils s'approcheront pour prendre terre. Ils procéderont pour cela en décrivant un cercle
en spirale, partant de leur hauteur, au moyen du gouvernail,
et des voiles d'Architas inclinées ; ils approcheront ainsi
graduellement jusqu'à ce que le navire s'ancre à ces balustrades.

Alors on cessera l'action des hélices, et le navire sera
amarré aux anneaux roulants des essieux enclavés à leur
ligne de fer, et de là garé à l'intérieur. Ceux en partance,
seront également amenés à cette esplanade; ils y seront
chargés et équilibrés avant de prendre leur essor.

Près de là seront les magasins de mâts de rechange, hélices, parachutes, enveloppes, pièces de radoub et autres
engins nécessaires; ce sera, si l'on veut, notre arsenal pacifique; les magasins ou docks à marchandises leur feront
pendant, puis, également, ceux destinés à fournir les enveloppes préparées qui doivent servir de wagon, et que l'on

annexera au convoi suivant le besoin ou les circonstances.

Les navires, en partance pour les longs cours, seront toujours munis d'une ou plusieurs de ces enveloppes, pour prendre au besoin des chargements lointains.

Puis viendront les batiments de l'administration, de la direction et de la surveillance; là seront placés les directeurs capables, nommés et choisis par la compagnie.

Là, aussi, seront les cabinets de travail et la chambre d'assemblée de nos jeunes marins; c'est là qu'ils se perfectionneront dans les connaissances astronomiques, dresseront la carte des pics et des hautes montagnes, des courants atmosphériques, ainsi que des endroits favorables aux descentes, et qui seront les plus propres à être convertis en rades pour nos stations.

Ce travail pour la direction des aérostats a été préparé déjà par *Gay-Lussac*. Dans son ascension il constata que la boussole marquait aussi bien dans les hautes régions que sur terre. Que ceux donc qui voudront les premiers attacher leurs noms à la fondation de l'école de marine aérostatique se préparent; nous leur faisons un appel de cœur; car c'est à leur capacité que devront s'ajouter les connaissances spéciales à leur nouvel élément.

C'est de cette école que sortiront les amiraux et officiers supérieurs qui dirigeront nos équipages; de là sortiront des capitaines qui auront sans doute de glorieuses pages de découvertes à faire enregistrer à l'histoire; c'est à eux que sera remise la supériorité aérostatique de notre nation. Ils devront travailler à ne point se laisser dépasser par aucuns en connaissance, en hardiesse et en courage; la gloire du pavillon aérien leur sera confiée, et je dois le dire, j'ai en eux la plus grande confiance; parce qu'ils sont jeunes, et par conséquent braves, hardis, entreprenants et ne doutent pas de leurs forces; la tâche est laborieuse, mais aussi, elle est grande, digne et glorieuse; belle d'avenir, pleine de promesses et, j'en suis sûr, ils prendront hardiment possession de cet élément qui doit amener le triomphe des nations supérieures.

# CONCLUSION. — AVENIR PROCHAIN

« C'est l'enfant qui vient de naître, » a dit *Franklin* lorsqu'en 1783 il vit s'élever dans les airs le premier aérostat.

Il y a déjà longtemps de cela, et depuis ce temps cet enfant a bien grandi en science et en savoir ; son éducation
s'est faite à l'ombre et sans bruit, au milieu des laboratoires,
des cabinets d'études et des ateliers. Beaucoup se sont dé-
voués à être ses glorieux professeurs ; ils se sont donnés
tout entiers à son éducation et à ses perfectionnements.

D'autres aussi, développèrent les forces musculaires du

9

nouvel art au gymnase des fêtes publiques et ils ont tous, chacun selon sa force et ses moyens, concouru à le rendre présentable dans le monde où il apparaît enfin.

Ignoré de beaucoup jusqu'alors, excepté de ses maîtres, excepté aussi de ces braves qui, pressentant son avenir, attendaient avec confiance la fin de ses études, et entretenaient de temps en temps le public de ses progrès tout en applaudissant à ses efforts, il ne lui manque plus aujourd'hui pour triompher des esprits rebelles, que le patronage et l'appui d'hommes déjà posés eux-mêmes par leur génie, leurs talents ou leurs études, dans l'estime, la confiance et l'amour du public.

Beaucoup de ceux-là ont senti sa capacité et deviné son génie ; ils ont compris l'avenir immense qui lui est réservé, et qui doit à son apparition illuminer le monde comme les météores des pays qu'il parcourra.

C'est donc à vous, serviteurs de l'humanité et croyants de l'avenir, que cette tâche est confiée ; à vous, soldats du progrès, illuminés de la parole, de la plume ou du crayon ; jeunesse de cœur, enfants privilégiés de l'imagination, qui ne doutez point obstinément de l'avenir et qui encouragez les progrès du génie humain. C'est à vous que cette tâche est confiée; la palme est belle et la mission laborieuse; mais, j'en suis sûr, vous n'y ferez pas défaut !

Cette mission, vous seuls pouvez la remplir. Aux grands peintres les grands sujets, aux grands avocats les belles causes, aux grands écrivains les faits sublimes. Les grands maîtres ennoblissent les grands sujets, mais en retour les grands sujets ennoblissent les grands maîtres; et celui-ci est digne de vous à tout égard.

Si vous doutez du succès, venez à moi; allez surtout à *M. Dupuis Delcourt*, l'homme qui a donné son sang et usé sa vie pour l'éducation de ce génie de l'air; et s'il vous restait des doutes avant, ils auront disparu, ils seront remplacés par la conviction, et c'est alors que vous la ferez partager à tous.

Si j'avais été aussi fortuné que convaincu, le premier navire aérien voguerait dans les airs aujourd'hui, et plus ne serait besoin de paroles pour poser l'exploitation industrielle de l'œuvre.

Il y a bien longtemps que les hommes rêvent la conquête de l'air ; mais Dieu en a sans doute reculé l'époque pour rendre son apparition plus glorieuse et plus utile, pour en faire don à une génération plus grande, qui en aura besoin ; assez sage pour ne point en abuser et n'en point détourner la mission civilisatrice. — C'est celle-là que nous lui destinons aujourd'hui, en échange des services qu'elle rendra, tant à notre commerce qu'à nos relations utiles et curieuses, qui demandent chaque jour à s'agrandir.

Quoi qu'il en soit, nous rendrons grâce au destin qui en a réservé la gloire à notre époque ; nous n'en sommes plus séparés que par un voile, qu'il vous est donné de soulever, pour découvrir au monde la scène grandiose de ces horizons nouveaux.

Ce nouveau moyen de transport et de voyager laissera bien loin derrière lui tous ceux employés et connus jusqu'à ce jour ; et quoique nous n'ayons pas foi aux prophéties, le moment n'en est pas moins venu de donner raison à celle dans laquelle Mlle Lenormand dit de notre époque: « Je vois l'espace sillonné de navires et désormais c'est dans l'air que l'on voyagera. »

Allons, amis, confiance et courage, travaillons et marchons à l'égalité des chemins et des routes; travaillons à relier les peuples et à réaliser tous ces trésors de méditations et de travaux qui nous ont été légués par cette école aérostatique dispersée sur tous les points du monde. Leurs recherches et les nôtres ont complété ce qui était nécessaire; rien ne manque, — que l'exécution, dont le succès nous est garanti par des preuves et des essais concluants, irrécusables.

Pas d'éblouissements, amis, ne nous arrêtons pas sur le seuil du temple de cette gloire, quand nous n'avons qu'un pas à faire pour y entrer, et prendre possession de son abri intérieur où règne la réalité.

Le système de transports aériens sera non-seulement plus sûr et plus rapide, mais encore et surtout, bien meilleur marché à faire fonctionner et à établir que les routes de fer et que les navires marins, dont il n'atteindra jamais les prix fabuleux de construction.

Il n'aura pas besoin de ces amas de charpente, de mâts et de cordages, il n'aura pas besoin de ces ancres énormes;

9.

ses ports, à lui, seront faciles à établir; son parcours est universel, exempt de lenteurs désespérantes et de manœuvres compliquées.

De simples enveloppes suffiront à équilibrer vos marchandises dans l'air, où vos locomoteurs aériens les prendront pour les transporter et vous en rapporter d'autres; nous ouvrirons réellement ce vaste et industrieux empire de la Chine; passant au-dessus des steppes déserts de la Russie, des océans de verdure de la Tartarie, nous irons droit à notre but sans redouter d'entraves.

A nous donc l'Afrique et l'Asie d'abord; à nous le monde ensuite; à vous, navigateurs de l'océan des airs, la contemplation du globe, les larges horizons, et la disposition de tout ce qui est aérien et sans maître.

Voilà l'entreprise que nous proposons. Et, comme les premiers chemins de fer, ne conduirait-elle au début ses voyageurs que de Paris à Saint-Cloud, qu'elle serait déjà fructueuse par excellence.

Travaillez donc, amis; initiez-vous à ces connaissances

nouvelles, habituez-vous à contempler le spectacle de l'immensité des airs; puis faites passer vos études et vos convictions dans l'esprit de vos amis, faites de la propagande scientifique, et alors pour nous plus d'océans, de déserts, de ravins, ni de pics inaccessibles.

Nos jeunes marins vous conduiront sur l'aile des vents là où vous appelleront vos travaux, votre commerce ou votre caprice; et cela avec moins de dangers que sur les lignes de transports les mieux organisées. Jouissez donc de cet avenir aérien qui vous est dévolu, profitez des fruits de cette science trop longtemps ignorée, et sortie tout à coup de l'ombre des écoles où elle a passé son enfance et subi dignement ses examens, pour vous servir à tout jamais; voyagez dans l'air, soutenus par cet hydrogène dégagé de l'eau qui vous a fourni ainsi la plus belle perle qu'il renfermait. Alors vos idées s'agrandiront avec l'horizon de vos découvertes; votre génie dilaté visera aux grandes choses et vous marcherez, pacifiquement, dans l'amélioration de l'humanité, à la civilisation et au bonheur du monde. Les produits du sol et de l'industrie ainsi facilement échangés sous toutes les latitudes, seront une carrière immense d'occupations, de travaux et de bien-être pour tous. Gloire et honneur à qui nous secondera. A moi donc, amis! je réclame votre aide à tous, pour continuer ma devise... *des faits, des faits, des faits*.....

Tout à Dieu ! — jusqu'au jour prochain, je l'espère, où nous planterons ensemble le premier pilotis de nos chantiers de construction.

FIN

# TABLE

Imprimé en France
FROC030810211120
25766FR00017B/260